MY
VOCA
1800
Level 1

KB087529

MY VOCA 1800

다음은 교재 개발에 도움을 주신 분들입니다.

Students

강예은	박서연	송지민	이아림
권예진	박재민	신민곤	이준서
기유민	박정은	신정규	임수민
김경애	박하은	안준영	장은지
김우현	박한솔	오윤경	최민수
김은선	변유진	유지오	최송이
김창민	서보성	이란주	추혜성
김초은	성인현	이세영	홍진범

Teachers

강길연	김은경	윤혜선	최소영
곽서연	박해숙	이정란	허미진
김성희	오금윤	이혜리	
김영순	유지숙	최계숙	

영어 단어 외우기!
생각만 해도 어렵고 지겨운가요?

마음속의 두려움을 잠시 내려놓고,
하나하나 기초부터 시작한다면
어느새 여러분의
영어 단어 실력은 껑충 올라 있을 거예요.

이 책의 3단계 학습법

Step 1 단어와 뜻 익히기

단어를 따라 쓰면서 철자와 우리말 뜻을 외워 보세요.

Step 2 예문 속 단어 익히기

예문의 빈칸을 채우면서 단어의 역할을 확인해 보세요.

Step 3 학습한 단어 확인하기

다양한 활동을 통해 앞 단계에서 공부한 단어와 예문을 다시 한 번 확인해 보세요.

Structure

이 책의 활용법

듣기 파일은 천재교육 홈페이지(www.chunjae.co.kr)와 QR코드로 확인하실 수 있습니다.

Unit 02

Step 1 단어와 뜻 익히기

beast [biːst]	space [speis] 공간
library [láibrèri] 도서관	fill [fil] 채우다, 메우다
clap [klæp] 박수를 치다	hide [haid] 감추다
design [dizáin] 디자인하다, 설계하다 / 디자인, 도안	knock [nɑk] 두드리다, 노크하다

14 | Level 1

- 제시된 단어들을 따라 쓰면서 철자와 우리말 뜻을 학습합니다.
- Tip을 통해 단어에 관한 다양한 관련 지식을 알아봅니다.
- 학습한 단어들이 사용된 만화를 읽으면서 단어를 재미있게 공부합니다.

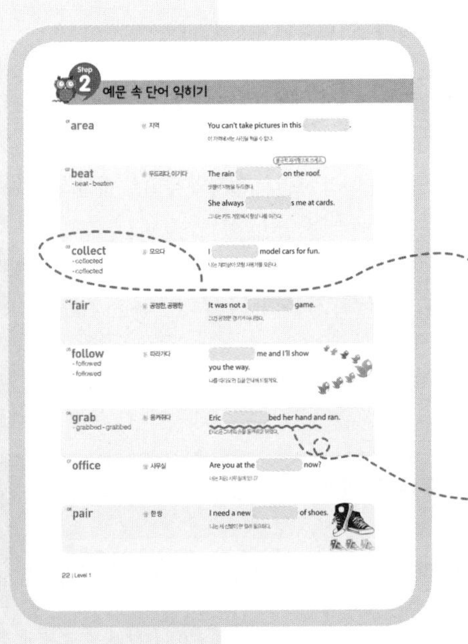
Step 2 예문 속 단어 익히기

area	지역	You can't take pictures in this ____.
beat - beat - beaten	두드리다, 이기다	The rain ____ on the roof. She always ____s me at cards.
collect - collected - collected	모으다	I ____ model cars for fun.
fair	공정한, 공평한	It was not a ____ game.
follow - followed - followed	따라가다	____ me and I'll show you the way.
grab - grabbed - grabbed	움켜쥐다	Eric ____bed her hand and ran.
office	사무실	Are you at the ____ now?
pair	한 쌍	I need a new ____ of shoes.

22 | Level 1

- 단어와 우리말 뜻, 동사의 변화형, 명사의 복수형까지 꼼꼼히 학습합니다.
- 예문의 빈칸을 채우면서 단어의 역할과 의미를 확인합니다.

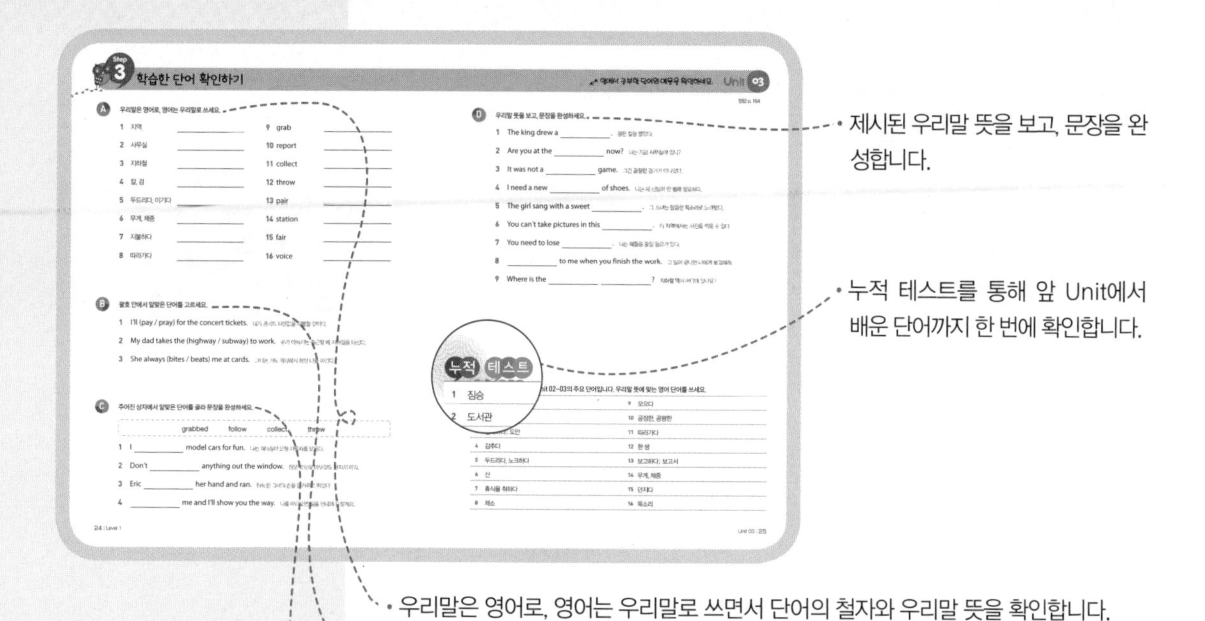

• 제시된 우리말 뜻을 보고, 문장을 완성합니다.

• 누적 테스트를 통해 앞 Unit에서 배운 단어까지 한 번에 확인합니다.

• 우리말은 영어로, 영어는 우리말로 쓰면서 단어의 철자와 우리말 뜻을 확인합니다.

• 괄호 안에서 문맥에 알맞은 단어를 골라 문장을 완성합니다.

• 주어진 상자에서 알맞은 단어를 골라 문장을 완성합니다.

주제별 어휘 외모 의상

fashion, suit, T-shirt, pants, skirt, jeans, blouse, sweater, handsome, good-looking, slim, overweight

• 4개의 Unit마다 제시된 주제별 어휘를 통해 여러분의 단어 실력을 확장합니다.

발음 기호

단어를 어떻게 읽는지 알아볼까요?

자음

기호	소리	단어	뜻	기호	소리	단어	뜻
[b]	ㅂ	boy [bɔi]	소년	[p]	ㅍ	pen [pen]	펜
[d]	ㄷ	desk [desk]	책상	[t]	ㅌ	tall [tɔːl]	키가 큰
[v]	ㅂ	vegetable [védʒətəbl]	채소	[f]	ㅍ/ㅎ	fox [fɑks]	여우
[z]	ㅈ	zoo [zuː]	동물원	[s]	ㅅ	smart [smɑːrt]	영리한
[ð]	ㄷ	weather [wéðər]	날씨	[θ]	ㅆ	thin [θin]	마른
[g]	ㄱ	grow [grou]	자라다	[k]	ㅋ	class [klæs]	반, 수업
[ʒ]	쥐	television [téləvìʒən]	텔레비전	[ʃ]	쉬	finish [fíniʃ]	끝나다
[dʒ]	쮜	join [dʒɔin]	가입하다	[tʃ]	취	cheap [tʃiːp]	(값이) 싼
[h]	ㅎ	hill [hil]	언덕	[ŋ]	받침 ㅇ	wrong [rɔːŋ]	나쁜, 잘못된
[m]	ㅁ	meat [miːt]	고기	[n]	ㄴ	noon [nuːn]	정오
[l]	ㄹ	long [lɔːŋ]	긴	[r]	ㄹ	road [roud]	길

모음

기호	소리	단어	뜻
[ɑ]	아	**drop** [drɑp]	떨어뜨리다
[e]	에	**bread** [bred]	빵
[i]	이	**kid** [kid]	아이
[o]	오	**go** [gou]	가다
[u]	우	**cook** [kuk]	요리하다
[æ]	애	**rabbit** [rǽbit]	토끼
[ʌ]	아+어	**puppy** [pʌ́pi]	강아지
[ə]	어	**woman** [wúmən]	여자
[ɔ]	아+오	**dog** [dɔːg]	개
[ɛ]	에	**airport** [ɛ́ərpɔ̀ːrt]	공항

장모음 길게 소리 나는 장모음은 발음 기호 옆에 :를 붙여서 표시한다.

기호	소리	단어	뜻
[ɑː]	아-	**father** [fɑ́ːðər]	아버지
[uː]	우-	**food** [fuːd]	음식
[iː]	이-	**east** [iːst]	동쪽
[əː]	어-	**bird** [bəːrd]	새

[j]/[w] 발음 모음 앞에 [j]가 붙으면 '야, 여, 유', [w]가 붙으면 '와, 위, 웨' 같이 발음된다.

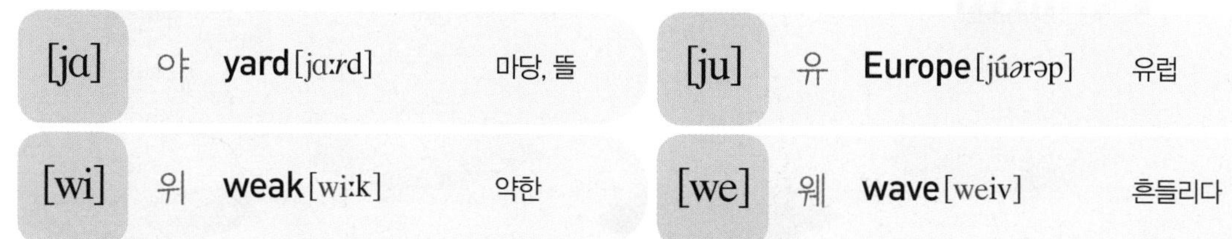

기호	소리	단어	뜻
[jɑ]	야	**yard** [jɑːrd]	마당, 뜰
[wi]	위	**weak** [wiːk]	약한
[ju]	유	**Europe** [júərəp]	유럽
[we]	웨	**wave** [weiv]	흔들리다

품사

단어의 역할과 의미 등에 따라서 8가지 품사로 나눌 수 있어요.

명사 **noun**	• 사람, 사물, 장소 등의 이름을 나타내는 단어 • 주어, 목적어, 보어 역할 **cup** (컵), **Korea** (대한민국), **love** (사랑), **water** (물) ...
대명사 **pronoun**	• 사람이나 사물 등의 이름을 대신하는 단어 • 주어, 목적어, 보어 역할 **this** (이것), **it** (그것), **you** (너), **we** (우리) ...
동사 **verb**	• 주어의 동작이나 상태를 나타내는 단어 **be**동사 (…이다), **go** (가다), **eat** (먹다) ...
형용사 **adjective**	• 사람이나 사물의 성질, 상태, 모양 등을 나타내는 단어 • 명사를 꾸며주거나 보어 역할 **pretty** (귀여운), **tall** (키가 큰), **quiet** (조용한) ...

주머니 속 단어를 읽어 보세요.

Canada	my	help	are	beautiful	short
that	sugar	house	our	know	nice

부사 **adverb**	• 장소, 시간, 정도, 빈도 등을 나타내는 단어 • 동사, 형용사, 다른 부사 등을 꾸밈 **there** (거기에), **now** (지금), **fast** (빠르게), **often** (종종) ...
전치사 **preposition**	• 명사 앞에서 시간, 장소, 방향 등을 나타내는 단어 **at 11** (11시에), **in London** (런던에서), **to the park** (공원으로) ...
접속사 **conjunction**	• 단어와 단어, 구와 구, 절과 절을 연결하는 단어 **and** (…와), **but** (하지만), **because** (… 때문에) ...
감탄사 **interjection**	• 놀람, 슬픔, 기쁨 등의 감정을 나타내는 단어 **wow** (와), **oh** (오), **oops** (아이쿠) ...

문장 속 단어의 품사를 확인해 보세요.

1 Eric and his brother live in Seoul.

Eric: 명사 / and: 접속사 / his: 대명사 / brother: 명사 / live: 동사 / in: 전치사 / Seoul: 명사

2 Oh, your sister is really smart!

Oh: 감탄사 / your: 대명사 / sister: 명사 / is: 동사 / really: 부사 / smart: 형용사

Unit 01

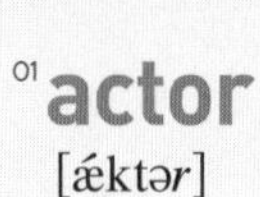

Step 1 단어와 뜻 익히기

01 **actor** [ǽktər]
명 배우

05 **gain** [gein]
동 얻다, 늘리다
명 이익

02 **melt** [melt]
동 녹다

06 **chance** [tʃæns]
명 기회

03 **famous** [féiməs]
형 유명한

07 **sound** [saund]
명 소리

04 **flow** [flou]
동 흐르다

08 **hurry** [hə́:ri]
동 서두르다

도로시, 마법을 배우고 싶어?

단어를 쓰며 철자와 뜻을 외우세요.

09 **raise** [reiz]
동 들어올리다, 기르다

한 단어가 여러 의미를 나타낼 때에는 문맥으로 뜻을 파악하세요.

10 **service** [sə́ːrvis]
명 서비스, 봉사

11 **solve** [sɔlv]
동 해결하다, 풀다

12 **main** [mein]
형 가장 중요한, 주된

13 **special** [spéʃəl]
형 특별한

14 **touch** [tʌtʃ]
동 만지다

touch에서 ch[tʃ]는 우리말의 '취'와 비슷한 소리가 나요.

15 **umbrella** [ʌmbrélə]
명 우산

16 **win** [win]
동 이기다

예문 속 단어 익히기

01 **actor**	명 배우	Who is your favorite movie ______? 네가 가장 좋아하는 영화배우는 누구니?
02 **melt** - melted - melted	동 녹다	The sun ______ed the snow. 햇볕이 눈을 녹였다.
03 **famous**	형 유명한	James Dean was a ______ actor during the 1950s. James Dean은 1950년대에 유명한 배우였다.
04 **flow** - flowed - flowed	동 흐르다	Tears began to ______ from her eyes. 그녀의 눈에서 눈물이 흐르기 시작했다.
05 **gain** - gained - gained	동 얻다, 늘리다 명 이익	I ______ed three kilograms. 나는 3킬로그램이 늘었다. No pain, no ______. 고통이 없으면 얻는 것도 없다.
06 **chance**	명 기회	Please give me another ______. 나에게 한 번 더 기회를 주세요.
07 **sound**	명 소리	I heard a strange ______. 나는 이상한 소리를 들었다.
08 **hurry** - hurried - hurried	동 서두르다	I got up late. I have to ______. 나는 늦게 일어났어. 서둘러야 해.

09 **raise** - raised - raised

동 들어올리다, 기르다

______ your hand if you have a question.
질문이 있으면 손을 들어라.

My mom ______d three children.
우리 어머니는 3명의 아이들을 기르셨다.

10 **service**

명 서비스, 봉사

The ______ at this hotel is great.
이 호텔의 서비스는 정말 좋다.

11 **solve** - solved - solved

동 해결하다, 풀다

She ______d the question easily.
그녀는 그 문제를 쉽게 풀었다.

12 **main**

형 가장 중요한, 주된

What is the ______ food in India?
인도에서 주식은 무엇이니?

13 **special**

형 특별한

He bought a ______ gift for his mom.
그는 어머니를 위해 특별한 선물을 샀다.

14 **touch** - touched - touched

동 만지다

Don't ______ anything in the museum.
박물관에서는 아무것도 만지지 마라.

15 **umbrella**

명 우산

It is raining outside. Take an ______.
밖에는 비가 오고 있어. 우산을 가지고 가.

16 **win** - won - won

동 이기다

(불규칙 과거형으로 쓰세요.)

My team ______ the soccer game 2 to 0.
우리 팀이 2대 0으로 축구 경기에서 이겼다.

Step 3 학습한 단어 확인하기

A 우리말은 영어로, 영어는 우리말로 쓰세요.

1 기회 ______________
2 들어올리다 ______________
3 서두르다 ______________
4 서비스, 봉사 ______________
5 특별한 ______________
6 얻다, 늘리다 ______________
7 우산 ______________
8 녹다 ______________
9 main ______________
10 actor ______________
11 solve ______________
12 flow ______________
13 touch ______________
14 famous ______________
15 sound ______________
16 win ______________

B 괄호 안에서 알맞은 단어를 고르세요.

1 No pain, no (game / gain). 고통이 없으면 얻는 것도 없다.

2 I heard a strange (smell / sound). 나는 이상한 소리를 들었다.

3 Who is your favorite movie (actor / singer)? 네가 가장 좋아하는 영화배우는 누구니?

C 주어진 상자에서 알맞은 단어를 골라 문장을 완성하세요.

melted	won	flow	touch

1 Tears began to ______________ from her eyes. 그녀의 눈에서 눈물이 흐르기 시작했다.

2 The sun ______________ the snow. 햇볕이 눈을 녹였다.

3 Don't ______________ anything in the museum. 박물관에서는 아무것도 만지지 마라.

4 My team ______________ the soccer game 2 to 0. 우리 팀이 2대 0으로 축구 경기에서 이겼다.

정답 p. 164

D 우리말 뜻을 보고, 문장을 완성하세요.

1 What is the ____________ food in India? 인도에서 주식은 무엇이니?

2 My mom ____________ three children. 우리 어머니는 3명의 아이들을 기르셨다.

3 Please give me another ____________. 나에게 한 번 더 기회를 주세요.

4 He bought a ____________ gift for his mom. 그는 어머니를 위해 특별한 선물을 샀다.

5 She ____________ the question easily. 그녀는 그 문제를 쉽게 풀었다.

6 I got up late. I have to ____________. 나는 늦게 일어났어. 서둘러야 해.

7 The ____________ at this hotel is great. 이 호텔의 서비스는 정말 좋다.

8 It is raining outside. Take an ____________. 밖에는 비가 오고 있어. 우산을 가지고 가.

9 James Dean was a ____________ ____________ during the 1950s.
James Dean은 1950년대에 유명한 배우였다.

누적 테스트 Unit 01의 단어입니다. 우리말 뜻에 맞는 영어 단어를 쓰세요.

1	배우	9	들어올리다, 기르다
2	녹다	10	서비스, 봉사
3	유명한	11	해결하다, 풀다
4	흐르다	12	가장 중요한, 주된
5	얻다, 늘리다; 이익	13	특별한
6	기회	14	만지다
7	소리	15	우산
8	서두르다	16	이기다

Unit 02

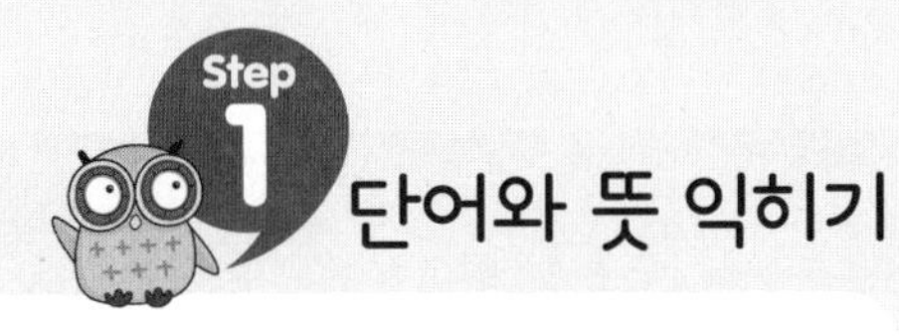

단어와 뜻 익히기

01 beast [biːst] — 명 짐승

02 library [láibrèri] — 명 도서관

03 clap [klæp] — 동 박수를 치다

04 design [dizáin] — 동 디자인하다, 설계하다 / 명 디자인, 도안

05 space [speis] — 명 공간

06 fill [fil] — 동 채우다, 메우다

07 hide [haid] — 동 감추다

08 knock [nɑk] — 동 두드리다, 노크하다

knock에서 k는 소리 나지 않아요.

수정 구슬을 찾으러 출발!

구슬을 찾다가
beast나 괴물을
만날 수도 있겠지.

단어를 쓰며 철자와 뜻을 외우세요.

09 **boil** [bɔil] 동 끓이다, 삶다

10 **lose** [luːz] 동 잃어버리다, 지다

11 **mountain** [máuntən] 명 산

12 **pour** [pɔːr] 동 붓다, 따르다

13 **relax** [rilǽks] 동 휴식을 취하다

14 **dialog** [dáiəlɔ̀ːg] 명 대화

dialogue라고 쓰기도 해요.

15 **vegetable** [védʒətəbl] 명 채소

vegetable에서 g[dʒ]는 우리말의 '쥐'와 비슷한 소리가 나요.

16 **worry** [wə́ːri] 동 걱정하다

Step 2 예문 속 단어 익히기

[01] **beast** ㉮ 짐승

The man is not a human. He is a ________.

그 남자는 인간이 아니다. 그는 짐승이다.

[02] **library** - libraries ㉮ 도서관

I borrowed three books from the ________.

나는 도서관에서 3권의 책을 빌렸다.

[03] **clap** - clapped - clapped ㉯ 박수를 치다

Everyone ________ped when we finished our songs.

우리가 노래를 끝냈을 때, 모두가 박수를 쳤다.

[04] **design** - designed - designed ㉯ 디자인하다, 설계하다 ㉮ 디자인, 도안

A famous artist ________ed this building.

유명한 예술가가 이 건물을 설계했다.

I like the ________ of this book.

나는 이 책의 디자인이 마음에 든다.

[05] **space** ㉮ 공간

Can you make ________ for the box?

너는 그 상자를 넣을 공간을 만들 수 있니?

[06] **fill** - filled - filled ㉯ 채우다, 메우다

________ in the blanks.

빈칸을 채워라.

Her eyes were ________ed with tears.

그녀의 눈이 눈물로 가득 찼다.

[07] **hide** - hid - hidden ㉯ 감추다

(불규칙 과거형으로 쓰세요.)

I ________ his smartphone in a drawer.

나는 그의 스마트폰을 서랍 속에 감췄다.

[08] **knock** - knocked - knocked ㉯ 두드리다, 노크하다

Please ________ before you enter.

들어오기 전에 노크하세요.

09 **boil** - boiled - boiled	동 끓이다, 삶다	I ______ ed the eggs for six minutes. 나는 달걀을 6분 동안 삶았다.
10 **lose** - lost - lost	동 잃어버리다, 지다	Did you ______ your wallet? 너는 지갑을 잃어버렸니? We may ______, but we'll do our best. 우리는 질지도 모르지만, 최선을 다할 것이다.
11 **mountain**	명 산	I climb a ______ every Sunday. 나는 일요일마다 등산을 한다.
12 **pour** - poured - poured	동 붓다, 따르다	Please ______ hot water into this bowl. 이 그릇에 뜨거운 물을 부어 주세요.
13 **relax** - relaxed - relaxed	동 휴식을 취하다	I want to ______ for the weekend. 나는 주말에 휴식을 취하고 싶다.
14 **dialog**	명 대화	We need more ______ with each other. 우리는 서로 더 많은 대화가 필요하다.
15 **vegetable**	명 채소	You should eat meat with ______ s. 너는 고기를 채소와 함께 먹어야 한다.
16 **worry** - worried - worried	동 걱정하다	I have nothing to ______ about. 나는 걱정할 게 아무것도 없다.

Step 3 학습한 단어 확인하기

A 우리말은 영어로, 영어는 우리말로 쓰세요.

1 도서관 ____________

2 짐승 ____________

3 두드리다 ____________

4 산 ____________

5 설계하다; 도안 ____________

6 감추다 ____________

7 공간 ____________

8 채소 ____________

9 clap ____________

10 fill ____________

11 lose ____________

12 boil ____________

13 pour ____________

14 worry ____________

15 dialog ____________

16 relax ____________

B 괄호 안에서 알맞은 단어를 고르세요.

1 Please (knock / know) before you enter. 들어오기 전에 노크하세요.

2 A famous artist (painted / designed) this building. 유명한 예술가가 이 건물을 설계했다.

3 Everyone (clapped / cropped) when we finished our songs.
우리가 노래를 끝냈을 때, 모두가 박수를 쳤다.

C 주어진 상자에서 알맞은 단어를 골라 문장을 완성하세요.

boiled	mountain	hid	library

1 I climb a ____________ every Sunday. 나는 일요일마다 등산을 한다.

2 I ____________ the eggs for six minutes. 나는 달걀을 6분 동안 삶았다.

3 I borrowed three books from the ____________. 나는 도서관에서 3권의 책을 빌렸다.

4 I ____________ his smartphone in a drawer. 나는 그의 스마트폰을 서랍 속에 감췄다.

정답 p. 164

D 우리말 뜻을 보고, 문장을 완성하세요.

1 ____________ in the blanks. 빈칸을 채워라.

2 Did you ____________ your wallet? 너는 지갑을 잃어버렸니?

3 I have nothing to ____________ about. 나는 걱정할 게 아무것도 없다.

4 Can you make ____________ for the box? 너는 그 상자를 넣을 공간을 만들 수 있니?

5 I want to ____________ for the weekend. 나는 주말에 휴식을 취하고 싶다.

6 Please ____________ hot water into this bowl. 이 그릇에 뜨거운 물을 부어 주세요.

7 You should eat meat with ____________. 너는 고기를 채소와 함께 먹어야 한다.

8 The man is not a human. He is a ____________. 그 남자는 인간이 아니다. 그는 짐승이다.

9 We need more ____________ with each other. 우리는 서로 더 많은 대화가 필요하다.

누적 테스트

Unit 01~02의 주요 단어입니다. 우리말 뜻에 맞는 영어 단어를 쓰세요.

1	녹다	9	박수를 치다
2	유명한	10	공간
3	기회	11	채우다, 메우다
4	서두르다	12	끓이다, 삶다
5	들어올리다, 기르다	13	잃어버리다, 지다
6	해결하다, 풀다	14	붓다, 따르다
7	특별한	15	대화
8	만지다	16	걱정하다

Unit 03

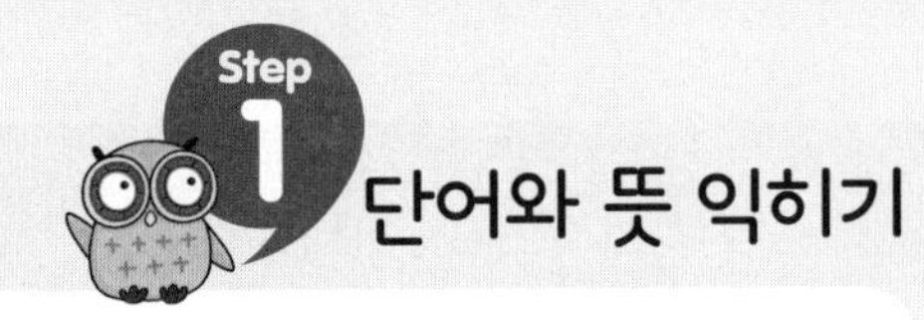

01 **area** ㊔ 지역
[ɛ́əriə]

02 **beat** ㊍ 두드리다, 이기다
[biːt]

03 **collect** ㊍ 모으다
[kəlékt]

04 **fair** ㊒ 공정한, 공평한
[fɛə*r*]

05 **follow** ㊍ 따라가다
[fálou]

06 **grab** ㊍ 움켜쥐다
[græb]

07 **office** ㊔ 사무실
[ɔ́ːfis]

08 **pair** ㊔ 한 쌍
[pɛə*r*]

a pair of (한 쌍의) 형태로 자주 쓰여요.

토토와 함께 가요.

단어를 쓰며 철자와 뜻을 외우세요.

09 **subway** [sʌ́bwèi] 명 지하철

10 **report** [ripɔ́ːrt] 동 보고하다 명 보고서

11 **pay** [pei] 동 지불하다

12 **weight** [weit] 명 무게, 체중

weight에서 gh는 소리 나지 않아요.

13 **sword** [sɔːrd] 명 칼, 검

sword에서 w는 소리 나지 않아요.

14 **throw** [θrou] 동 던지다

15 **voice** [vɔis] 명 목소리

16 **station** [stéiʃən] 명 역, 정거장

예문 속 단어 익히기

01 **area**	명 지역	You can't take pictures in this ______. 이 지역에서는 사진을 찍을 수 없다.
02 **beat** - beat - beaten	동 두드리다, 이기다	(불규칙 과거형으로 쓰세요.) The rain ______ on the roof. 빗물이 지붕을 두드렸다. She always ______s me at cards. 그녀는 카드 게임에서 항상 나를 이긴다.
03 **collect** - collected - collected	동 모으다	I ______ model cars for fun. 나는 재미삼아 모형 자동차를 모은다.
04 **fair**	형 공정한, 공평한	It was not a ______ game. 그건 공정한 경기가 아니었다.
05 **follow** - followed - followed	동 따라가다	______ me and I'll show you the way. 나를 따라오면 길을 안내해 드릴게요.
06 **grab** - grabbed - grabbed	동 움켜쥐다	Eric ______bed her hand and ran. Eric은 그녀의 손을 움켜쥐고 뛰었다.
07 **office**	명 사무실	Are you at the ______ now? 너는 지금 사무실에 있니?
08 **pair**	명 한쌍	I need a new ______ of shoes. 나는 새 신발이 한 켤레 필요하다.

09 **subway** 명 지하철

My dad takes the ______ to work.
우리 아버지는 출근할 때 지하철을 타신다.

10 **report** - reported - reported 동 보고하다 명 보고서

______ to me when you finish the work.
그 일이 끝나면 나에게 보고해라.

Did you finish your ______?
너는 보고서를 끝냈니?

11 **pay** - paid - paid 동 지불하다

I'll ______ for the concert tickets.
내가 콘서트 티켓값을 지불할 것이다.

12 **weight** 명 무게, 체중

What is the ______ of the box?
그 상자의 무게는 얼마니?

You need to lose ______.
너는 체중을 줄일 필요가 있다.

13 **sword** 명 칼, 검

The king drew a ______.
왕은 칼을 뽑았다.

14 **throw** - threw - thrown 동 던지다

Don't ______ anything out the window.
창문 밖으로 아무것도 던지지 마라.

15 **voice** 명 목소리

The girl sang with a sweet ______.
그 소녀는 달콤한 목소리로 노래했다.

16 **station** 명 역, 정거장

Where is the subway ______?
지하철 역이 어디에 있나요?

Step 3 학습한 단어 확인하기

A 우리말은 영어로, 영어는 우리말로 쓰세요.

1 지역 __________

2 사무실 __________

3 지하철 __________

4 칼, 검 __________

5 두드리다, 이기다 __________

6 무게, 체중 __________

7 지불하다 __________

8 따라가다 __________

9 grab __________

10 report __________

11 collect __________

12 throw __________

13 pair __________

14 station __________

15 fair __________

16 voice __________

B 괄호 안에서 알맞은 단어를 고르세요.

1 I'll (pay / pray) for the concert tickets. 내가 콘서트 티켓값을 지불할 것이다.

2 My dad takes the (highway / subway) to work. 우리 아버지는 출근할 때 지하철을 타신다.

3 She always (bites / beats) me at cards. 그녀는 카드 게임에서 항상 나를 이긴다.

C 주어진 상자에서 알맞은 단어를 골라 문장을 완성하세요.

grabbed	follow	collect	throw

1 I __________ model cars for fun. 나는 재미삼아 모형 자동차를 모은다.

2 Don't __________ anything out the window. 창문 밖으로 아무것도 던지지 마라.

3 Eric __________ her hand and ran. Eric은 그녀의 손을 움켜쥐고 뛰었다.

4 __________ me and I'll show you the way. 나를 따라오면 길을 안내해 드릴게요.

정답 p. 164

D 우리말 뜻을 보고, 문장을 완성하세요.

1 The king drew a ______________. 왕은 **칼**을 뽑았다.

2 Are you at the ______________ now? 너는 지금 **사무실**에 있니?

3 It was not a ______________ game. 그건 **공정한** 경기가 아니었다.

4 I need a new ______________ of shoes. 나는 새 신발이 한 **켤레** 필요하다.

5 The girl sang with a sweet ______________. 그 소녀는 달콤한 **목소리**로 노래했다.

6 You can't take pictures in this ______________. 이 **지역**에서는 사진을 찍을 수 없다.

7 You need to lose ______________. 너는 **체중**을 줄일 필요가 있다.

8 ______________ to me when you finish the work. 그 일이 끝나면 나에게 **보고해라**.

9 Where is the ______________ ______________? **지하철** 역이 어디에 있나요?

누적 테스트 Unit 02~03의 주요 단어입니다. 우리말 뜻에 맞는 영어 단어를 쓰세요.

1	짐승	9	모으다
2	도서관	10	공정한, 공평한
3	설계하다; 도안	11	따라가다
4	감추다	12	한 쌍
5	두드리다, 노크하다	13	보고하다; 보고서
6	산	14	무게, 체중
7	휴식을 취하다	15	던지다
8	채소	16	목소리

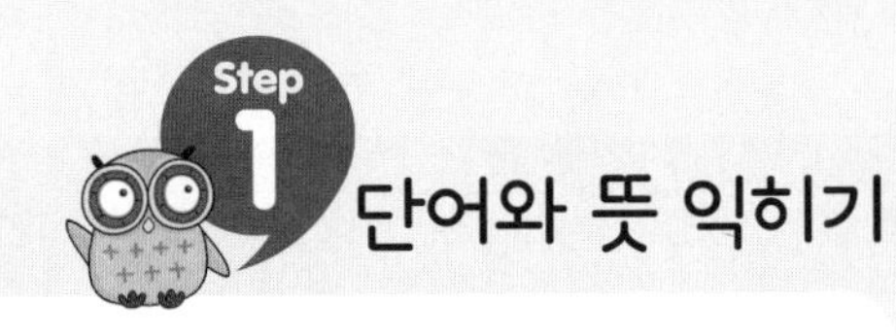

01 **avoid** [əvɔ́id] 동 피하다

02 **country** [kʌ́ntri] 명 국가

03 **change** [tʃeindʒ] 동 바꾸다, 변하다 명 변화

04 **bend** [bend] 동 구부리다, 굽히다

05 **different** [dífərənt] 형 다른

'다름, 차이'라는 뜻의 명사는 difference예요.

06 **feel** [fiːl] 동 느끼다

07 **tongue** [tʌŋ] 명 혀

08 **heavy** [hévi] 형 무거운

수정 구슬을 훔친 사람은 누구?

단어를 쓰며 철자와 뜻을 외우세요.

09 **information** 명 정보
[ìnfərméiʃən]

10 **machine** 명 기계
[məʃíːn]

11 **mirror** 명 거울
[mírər]

12 **neighbor** 명 이웃
[néibər]

neighbour라고 쓰기도 해요.

13 **shout** 동 소리 치다
[ʃaut]

14 **free** 형 자유로운, 무료의
[friː]

free는 여러 가지 의미를 나타내는 다의어로 문맥에서 뜻을 파악해야 해요.

15 **uniform** 명 교복, 유니폼
[júːnəfɔ̀ːrm]

16 **stage** 명 무대
[steidʒ]

Step 2 예문 속 단어 익히기

01 **avoid** - avoided - avoided ㊈ 피하다

The children ________ eating vegetables.
그 아이들은 채소 먹는 것을 피한다.

02 **country** - countries ㊐ 국가

It's not easy to live in a foreign ________.
외국에서 사는 것은 쉽지 않다.

03 **change** - changed - changed ㊈ 바꾸다, 변하다 ㊐ 변화

________ your password regularly.
비밀번호를 주기적으로 바꾸어라.

There has been little ________ in her daily life. 그녀의 일상 생활에는 변화가 거의 없었다.

04 **bend** - bent - bent ㊈ 구부리다, 굽히다

(불규칙 과거형으로 쓰세요.)

She ________ down and picked up her jacket. 그녀는 몸을 구부려서 재킷을 집었다.

05 **different** ㊎ 다른

My goal is ________ from yours.
나의 목표는 너의 것과는 다르다.

06 **feel** - felt - felt ㊈ 느끼다

I ________ safe in my father's arms.
나는 아빠의 품 속에서 안전하다고 느낀다.

07 **tongue** ㊐ 혀

Did you bite your ________?
너는 혀를 깨물었니?

08 **heavy** ㊎ 무거운

Rick carried the ________ box to my room.
Rick은 그 무거운 상자를 내 방으로 옮겨주었다.

09 **information** 명 정보

You can find a lot of ________ on the Internet. 너는 인터넷에서 많은 정보를 찾을 수 있다.

10 **machine** 명 기계

This washing ________ is easy to use.
이 세탁기는 사용하기 쉽다.

11 **mirror** 명 거울

Look at yourself in the ________.
거울 속의 네 자신을 봐라.

12 **neighbor** 명 이웃

Mrs. Smith is a good ________.
Smith 부인은 좋은 이웃이다.

13 **shout** - shouted - shouted 동 소리 치다

I ________ed, but nobody came.
나는 소리 쳤지만, 아무도 오지 않았다.

14 **free** 형 자유로운, 무료의

You are ________ to choose your job.
너는 직업을 선택할 자유가 있다.

The concert is ________.
그 콘서트는 무료이다.

15 **uniform** 명 교복, 유니폼

All players should wear ________s.
모든 선수들은 유니폼을 입어야 한다.

16 **stage** 명 무대

They are acting on the ________.
그들은 무대에서 연기하고 있다.

Step 3 학습한 단어 확인하기

A 우리말은 영어로, 영어는 우리말로 쓰세요.

1 국가 ____________
2 소리 치다 ____________
3 정보 ____________
4 구부리다, 굽히다 ____________
5 자유로운, 무료의 ____________
6 다른 ____________
7 거울 ____________
8 교복, 유니폼 ____________
9 machine ____________
10 avoid ____________
11 change ____________
12 feel ____________
13 neighbor ____________
14 stage ____________
15 tongue ____________
16 heavy ____________

B 괄호 안에서 알맞은 단어를 고르세요.

1 I (fill / feel) safe in my father's arms. 나는 아빠의 품 속에서 안전하다고 느낀다.
2 They are acting on the (square / stage). 그들은 무대에서 연기하고 있다.
3 Rick carried the (hard / heavy) box to my room. Rick은 그 무거운 상자를 내 방으로 옮겨주었다.

C 주어진 상자에서 알맞은 단어를 골라 문장을 완성하세요.

avoid	machine	uniforms	bent

1 All players should wear ____________ . 모든 선수들은 유니폼을 입어야 한다.
2 This washing ____________ is easy to use. 이 세탁기는 사용하기 쉽다.
3 She ____________ down and picked up her jacket. 그녀는 몸을 구부려서 재킷을 집었다.
4 The children ____________ eating vegetables. 그 아이들은 채소 먹는 것을 피한다.

정답 p. 165

D 우리말 뜻을 보고, 문장을 완성하세요.

1 Did you bite your ____________? 너는 혀를 깨물었니?

2 Look at yourself in the ____________. 거울 속의 네 자신을 봐라.

3 You are ____________ to choose your job. 너는 직업을 선택할 자유가 있다.

4 My goal is ____________ from yours. 나의 목표는 너의 것과는 다르다.

5 ____________ your password regularly. 비밀번호를 주기적으로 바꾸어라.

6 I ____________, but nobody came. 나는 소리 쳤지만, 아무도 오지 않았다.

7 Mrs. Smith is a good ____________. Smith 부인은 좋은 이웃이다.

8 It's not easy to live in a foreign ____________. 외국에서 사는 것은 쉽지 않다.

9 You can find a lot of ____________ on the Internet. 너는 인터넷에서 많은 정보를 찾을 수 있다.

누적 테스트 Unit 03~04의 주요 단어입니다. 우리말 뜻에 맞는 영어 단어를 쓰세요.

1	지역	9	피하다
2	두드리다, 이기다	10	바꾸다; 변화
3	움켜쥐다	11	느끼다
4	사무실	12	혀
5	지하철	13	기계
6	지불하다	14	이웃
7	칼, 검	15	소리 치다
8	역, 정거장	16	무대

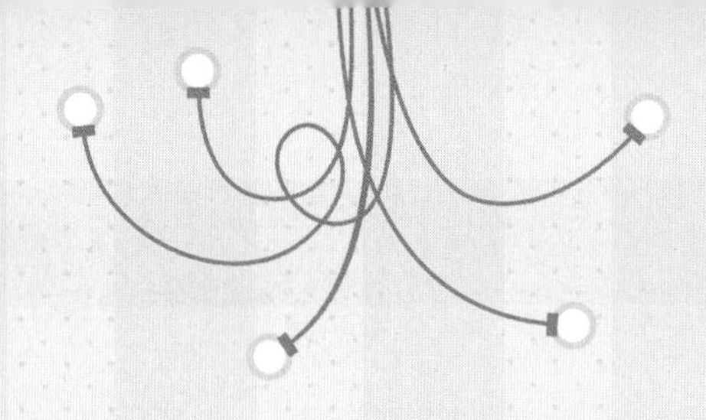

fashion 명 유행, 패션

suit 명 정장

T-shirt 명 티셔츠

pants 명 바지

skirt 명 치마

jeans 명 청바지

blouse 명 블라우스

sweater 명 스웨터

handsome 형 멋진, 잘생긴

good-looking 형 잘생긴

slim 형 날씬한

overweight 형 과체중의, 비만의

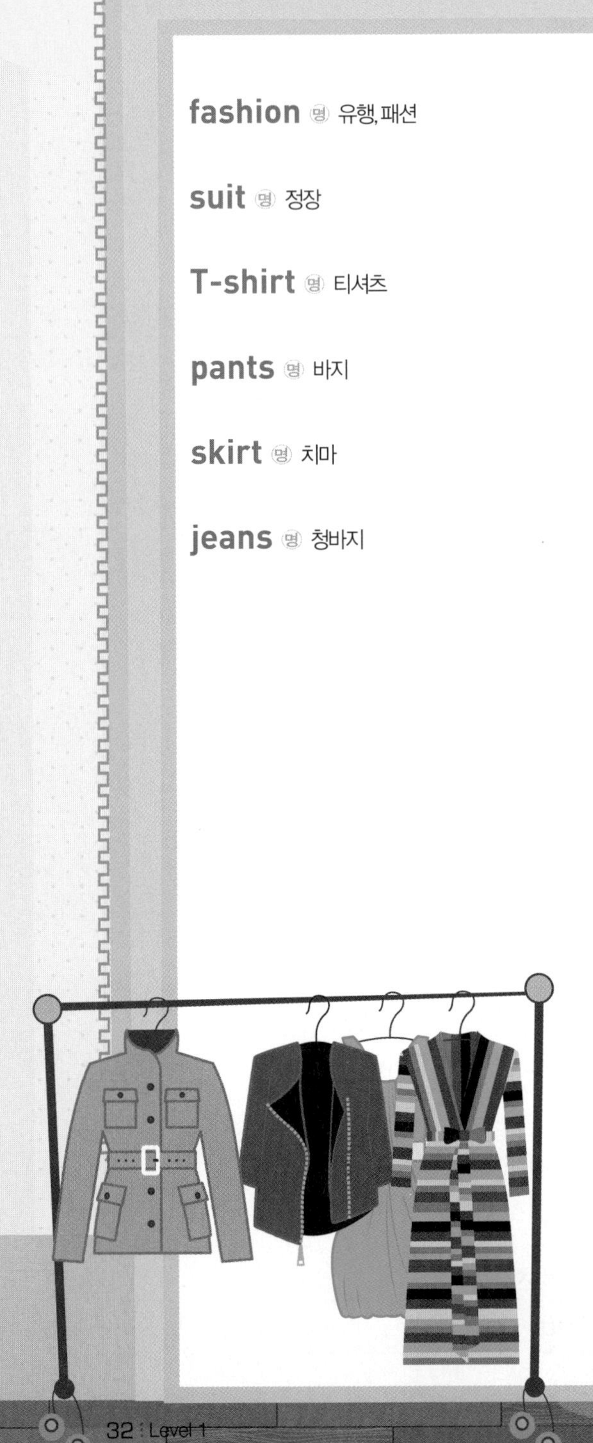

01	**fashion**	명 유행, 패션	The jacket is in ______ now. 그 재킷은 지금 유행이다.
02	**suit**	명 정장	My uncle goes to work in a ______ and tie. 우리 삼촌은 정장과 넥타이 차림으로 출근한다.
03	**T-shirt**	명 티셔츠	Wow! This ______ is so cool. 와! 이 티셔츠는 정말 멋지다.
04	**pants**	명 바지	The ______ look too short for you. 그 바지는 너에겐 너무 짧아 보여.
05	**skirt**	명 치마	I want to buy a long ______. 나는 긴 치마를 사고 싶다.
06	**jeans**	명 청바지	Those ______ are very expensive. 저 청바지는 정말 비싸다.
07	**blouse**	명 블라우스	The ______ looks great on you. 그 블라우스는 너에게 잘 어울려 보여.
08	**sweater**	명 스웨터	Who is the girl in the red ______? 빨간색 스웨터를 입은 소녀는 누구니?
09	**handsome**	형 멋진, 잘생긴	The actor is tall and ______. 그 배우는 키가 크고 잘생겼다.
10	**good-looking**	형 잘생긴	There is a ______ boy on the stage. 무대 위에 잘생긴 소년 한 명이 있다.
11	**slim**	형 날씬한	I envy her ______ waist. 나는 그녀의 날씬한 허리가 부럽다.
12	**overweight**	형 과체중의, 비만의	The doctor said that Tim was ______. 의사는 Tim이 과체중이라고 말했다.

Unit 05

Step 1 단어와 뜻 익히기

01 **battle** [bǽtl] 명 전투

02 **blood** [blʌd] 명 피, 혈액

03 **bring** [briŋ] 동 가져오다

04 **cousin** [kʌ́zn] 명 사촌

05 **crowd** [kraud] 명 사람들, 군중

06 **difficult** [dífikʌ̀lt] 형 어려운, 힘든

반대말로 '쉬운'이라는 뜻을 나타내는 단어는 easy예요.

07 **fresh** [freʃ] 형 신선한

08 **wake** [weik] 동 (잠에서) 깨다, 깨우다

마법사와 서쪽 나라의 마녀는 원래 친구였구나.

단어를 쓰며 철자와 뜻을 외우세요.

09 **merry** [méri] 형 즐거운

Merry Christmas! (메리 크리스마스!)의 형태로 자주 쓰이는 단어예요.

10 **imagine** [imǽdʒin] 동 상상하다

11 **hunt** [hʌnt] 동 사냥하다

12 **peace** [piːs] 명 평화

13 **price** [prais] 명 가격

14 **record** [rékərd] 명 기록 [rikɔ́ːrd] 동 기록하다

명사일 때와 동사일 때 발음이 다른 것에 유의하세요.

15 **bet** [bet] 동 (돈을) 걸다, 확신하다

16 **guest** [gest] 명 손님

원래는 친한 친구였는데,
서쪽 나라 마녀가
hunt하다가 실수로
마법사의 앵무새를 죽였대.

정말?

Step 2 예문 속 단어 익히기

01 **battle** ㊔ 전투

Many people were killed in the ________.

많은 사람들이 그 전투에서 죽었다.

02 **blood** ㊔ 피, 혈액

A B AB O

What is your ________ type?

너의 혈액형이 뭐니?

03 **bring** - brought - brought ㊍ 가져오다

I'll ________ some balloons to the party.

내가 파티에 풍선을 좀 가져올게.

04 **cousin** ㊔ 사촌

Grace and I are ________s.

Grace와 나는 사촌 간이다.

05 **crowd** ㊔ 사람들, 군중

A big ________ gathered around him.

많은 사람들이 그의 주위에 모였다.

06 **difficult** ㊕ 어려운, 힘든

The question was ________ to answer.

그 질문은 대답하기 어려웠다.

She had a ________ time at school.

그녀는 학교에서 힘든 시간을 보냈다.

07 **fresh** ㊕ 신선한

I bought some ________ fruit at the market.

나는 시장에서 신선한 과일을 좀 샀다.

08 **wake** - woke - woken ㊍ (잠에서) 깨다, 깨우다

Would you ________ me up at seven o'clock? 나를 7시에 깨워줄래요?

09 merry — ⓗ 즐거운

We wish you a ______ Christmas.
즐거운 크리스마스 보내세요.

10 imagine - imagined - imagined — ⓓ 상상하다

Can you ______ life without the Internet?
너는 인터넷이 없는 삶을 상상할 수 있니?

11 hunt - hunted - hunted — ⓓ 사냥하다

Tigers usually ______ alone.
호랑이는 대개 혼자 사냥한다.

12 peace — ⓜ 평화

The old man enjoyed ______ of mind.
그 노인은 마음의 평화를 즐겼다.

13 price — ⓜ 가격

What is the ______ of this car?
이 차의 가격은 얼마입니까?

14 record - recorded - recorded — ⓜ 기록 ⓓ 기록하다

Please show me your medical ______s.
나에게 당신의 진료 기록을 보여주세요.

Be sure to ______ all your expenses.
꼭 모든 경비를 기록해라.

15 bet - bet - bet — ⓓ (돈을) 걸다, 확신하다

(불규칙 과거형으로 쓰세요.)

He ______ 10 dollars on the team.
그는 그 팀에 10 달러를 걸었다.

I ______ that he will come.
나는 그가 올 것이라고 확신한다.

16 guest — ⓜ 손님

We will have five ______s tonight.
오늘밤에 다섯 명의 손님이 올 것이다.

Step 3 학습한 단어 확인하기

A 우리말은 영어로, 영어는 우리말로 쓰세요.

1 사촌 ______________
2 신선한 ______________
3 가져오다 ______________
4 사냥하다 ______________
5 즐거운 ______________
6 (돈을) 걸다 ______________
7 사람들, 군중 ______________
8 평화 ______________
9 battle ______________
10 imagine ______________
11 price ______________
12 difficult ______________
13 record ______________
14 wake ______________
15 blood ______________
16 guest ______________

B 괄호 안에서 알맞은 단어를 고르세요.

1 Grace and I are (classmates / cousins). Grace와 나는 사촌 간이다.

2 I (bet / beat) that he will come. 나는 그가 올 것이라고 확신한다.

3 Would you (make / wake) me up at seven o'clock? 나를 7시에 깨워줄래요?

C 주어진 상자에서 알맞은 단어를 골라 문장을 완성하세요.

peace	blood	crowd	guests

1 What is your ______________ type? 너의 혈액형이 뭐니?

2 We will have five ______________ tonight. 오늘밤에 다섯 명의 손님이 올 것이다.

3 A big ______________ gathered around him. 많은 사람들이 그의 주위에 모였다.

4 The old man enjoyed ______________ of mind. 그 노인은 마음의 평화를 즐겼다.

정답 p. 165

D 우리말 뜻을 보고, 문장을 완성하세요.

1 Tigers usually ____________ alone. 호랑이는 대개 혼자 **사냥한다.**

2 We wish you a ____________ Christmas. **즐거운** 크리스마스 보내세요.

3 What is the ____________ of this car? 이 차의 **가격**은 얼마입니까?

4 I bought some ____________ fruit at the market. 나는 시장에서 **신선한** 과일을 좀 샀다.

5 I'll ____________ some balloons to the party. 내가 파티에 풍선을 좀 **가져올게.**

6 Please show me your medical ____________. 나에게 당신의 진료 **기록**을 보여주세요.

7 The question was ____________ to answer. 그 질문은 대답하기 **어려웠다.**

8 Many people were killed in the ____________. 많은 사람들이 그 **전투**에서 죽었다.

9 Can you ____________ life without the Internet? 너는 인터넷이 없는 삶을 **상상할** 수 있니?

누적 테스트

Unit 04~05의 주요 단어입니다. 우리말 뜻에 맞는 영어 단어를 쓰세요.

1	국가	9	전투
2	구부리다, 굽히다	10	피, 혈액
3	다른	11	어려운, 힘든
4	무거운	12	(잠에서) 깨다, 깨우다
5	정보	13	상상하다
6	거울	14	평화
7	자유로운, 무료의	15	가격
8	교복, 유니폼	16	손님

Unit 06

Step 1 단어와 뜻 익히기

01 **bottom** [bátəm] 명 맨 아랫부분, 바닥

02 **candle** [kǽndl] 명 양초

03 **envelope** [énvəlòup] 명 봉투

04 **cartoon** [kɑːrtúːn] 명 만화

05 **male** [meil] 형 남성의

'여성의'라는 의미를 나타내는 단어는 female이에요.

06 **hole** [houl] 명 구멍

07 **jewel** [dʒúːəl] 명 보석

08 **nickname** [níknèim] 명 별명

도둑이다!

단어를 쓰며 철자와 뜻을 외우세요.

09 **perfect** [pə́ːrfikt] ㊎ 완벽한

10 **real** [ríːəl] ㊎ 진짜의, 실제의

11 **rule** [ruːl] ㊔ 규칙

12 **sight** [sait] ㊔ 시력, 광경

sight에서 gh는 소리 나지 않아요.

13 **skill** [skil] ㊔ 기술

14 **steal** [stiːl] ㊍ 훔치다

15 **tour** [tuər] ㊔ 여행

16 **thief** [θiːf] ㊔ 도둑

Step 2 예문 속 단어 익히기

01 **bottom** 명 맨 아랫부분, 바닥

The boat sank to the ______ of the sea.

그 배는 바다의 바닥까지 가라앉았다.

02 **candle** 명 양초

If there is no electricity, use a ______.

전기가 없으면 양초를 사용해라.

03 **envelope** 명 봉투

Write your address on an ______.

봉투에 네 주소를 써라.

04 **cartoon** 명 만화

I like to draw ______s.

나는 만화를 그리는 것을 좋아한다.

05 **male** 형 남성의

A ______ nurse helped my grandmother.

한 남자 간호사가 우리 할머니를 도와주었다.

06 **hole** 명 구멍

There is a ______ in his sock.

그의 양말에 구멍이 나 있다.

07 **jewel** 명 보석

She loves wearing ______s.

그녀는 보석을 착용하는 것을 정말 좋아한다.

08 **nickname** 명 별명

I like my ______, "bookworm."

나는 '책벌레'라는 내 별명이 마음에 든다.

09 **perfect** ⓗ 완벽한
Today is a ______ day for a picnic.
오늘은 소풍 가기에 완벽한 날이다.

10 **real** ⓗ 진짜의, 실제의
Is it a ______ flower?
그것은 진짜 꽃이니?
This book is about ______ events.
이 책은 실제 사건에 관한 것이다.

11 **rule** ⓜ 규칙
All students should follow the ______s.
모든 학생들은 규칙을 따라야 한다.

12 **sight** ⓜ 시력, 광경
My brother has very good ______.
우리 형은 매우 좋은 시력을 가지고 있다.
We laughed at the funny ______.
우리는 재미있는 광경을 보고 웃었다.

13 **skill** ⓜ 기술
Jamie wants to learn a special ______.
Jamie는 특별한 기술을 배우고 싶어 한다.

14 **steal** - stole - stolen ⓓ 훔치다
불규칙 과거형으로 쓰세요.
They ______ smartphones from the store.
그들은 그 상점에서 스마트폰을 훔쳤다.

15 **tour** ⓜ 여행
My mom plans to go on a walking ______.
우리 어머니는 도보 여행을 가는 것을 계획하고 계시다.

16 **thief** - thieves ⓜ 도둑
The ______ broke into his house.
그의 집에 도둑이 들었다.

Step 3 학습한 단어 확인하기

A 우리말은 영어로, 영어는 우리말로 쓰세요.

1 완벽한 ______________

2 규칙 ______________

3 맨 아랫부분 ______________

4 만화 ______________

5 시력, 광경 ______________

6 구멍 ______________

7 도둑 ______________

8 별명 ______________

9 candle ______________

10 jewel ______________

11 real ______________

12 skill ______________

13 tour ______________

14 male ______________

15 steal ______________

16 envelope ______________

B 괄호 안에서 알맞은 단어를 고르세요.

1 Jamie wants to learn a special (thrill / skill). Jamie는 특별한 기술을 배우고 싶어 한다.

2 If there is no electricity, use a (candle / handle). 전기가 없으면 양초를 사용해라.

3 I like to draw (cartons / cartoons). 나는 만화를 그리는 것을 좋아한다.

C 주어진 상자에서 알맞은 단어를 골라 문장을 완성하세요.

tour	hole	envelope	bottom

1 The boat sank to the ______________ of the sea. 그 배는 바다의 바닥까지 가라앉았다.

2 Write your address on an ______________. 봉투에 네 주소를 써라.

3 There is a ______________ in his sock. 그의 양말에 구멍이 나 있다.

4 My mom plans to go on a walking ______________.
우리 어머니는 도보 여행을 가는 것을 계획하고 계시다.

정답 p. 165

D 우리말 뜻을 보고, 문장을 완성하세요.

1 This book is about ____________ events. 이 책은 **실제** 사건에 관한 것이다.

2 She loves wearing ____________. 그녀는 **보석**을 착용하는 것을 정말 좋아한다.

3 My brother has very good ____________. 우리 형은 매우 좋은 **시력**을 가지고 있다.

4 The ____________ broke into his house. 그의 집에 **도둑**이 들었다.

5 Today is a ____________ day for a picnic. 오늘은 소풍 가기에 **완벽한** 날이다.

6 They ____________ smartphones from the store. 그들은 그 상점에서 스마트폰을 **훔쳤다**.

7 All students should follow the ____________. 모든 학생들은 **규칙**을 따라야 한다.

8 I like my ____________, "bookworm." 나는 '책벌레'라는 내 **별명**이 마음에 든다.

9 A ____________ nurse helped my grandmother. 한 **남자** 간호사가 우리 할머니를 도와주었다.

누적 테스트 Unit 05~06의 주요 단어입니다. 우리말 뜻에 맞는 영어 단어를 쓰세요.

1	가져오다	9	양초
2	사촌	10	봉투
3	사람들, 군중	11	남성의
4	신선한	12	보석
5	즐거운	13	진짜의, 실제의
6	사냥하다	14	규칙
7	기록; 기록하다	15	기술
8	(돈을) 걸다, 확신하다	16	훔치다

Unit 07

단어와 뜻 익히기

01 **front** [frʌnt] 명 앞

'… 앞에'라는 표현은 in front of로 써요.

02 **army** [á:rmi] 명 군대

03 **crazy** [kréizi] 형 정상이 아닌, 열광하는

04 **extra** [ékstrə] 형 추가의, 여분의

05 **try** [trai] 동 노력하다

06 **law** [lɔ:] 명 법

07 **nephew** [néfju:] 명 남자 조카

08 **niece** [ni:s] 명 여자 조카

nephew와 niece처럼 짝을 이루는 단어들은 함께 알아 두세요.

도둑질은 나빠요!

단어를 쓰며 철자와 뜻을 외우세요.

09 **list** [list] 명 목록

10 **simple** [símpl] 형 간단한, 간소한

11 **rent** [rent] 동 빌리다

12 **sense** [sens] 명 감각 동 감지하다

13 **sigh** [sai] 동 한숨을 쉬다

sigh에서 gh는 소리 나지 않아요.

14 **prize** [praiz] 명 상

15 **vacation** [veikéiʃən] 명 방학

16 **wide** [waid] 형 넓은

예문 속 단어 익히기

01 **front**	명 앞	Let's meet in ______ of the library. 도서관 앞에서 만나자.
02 **army** - armies	명 군대	My brother will join the ______ tomorrow. 우리 형은 내일 군대에 갈 것이다.
03 **crazy**	형 정상이 아닌, 열광하는	It's a ______ idea. 그것은 말도 안 되는 생각이다. Fred is ______ about football. Fred는 축구에 열광한다.
04 **extra**	형 추가의, 여분의	I have to do ______ work. 나는 추가 근무를 해야 한다.
05 **try** - tried - tried	동 노력하다	He will ______ to win the race. 그는 경주에서 이기기 위해 노력할 것이다.
06 **law**	명 법	I don't want to break the ______. 나는 법을 어기고 싶지 않다.
07 **nephew**	명 남자조카	Jack is his only ______. Jack은 그의 유일한 남자 조카이다.
08 **niece**	명 여자조카	He got an e-mail from his ______ in France. 그는 프랑스에 있는 여자 조카에게 이메일을 받았다.

09 **list** 명 목록

My mother wrote a shopping ______.
우리 엄마는 쇼핑 목록을 쓰셨다.

10 **simple** 형 간단한, 간소한

This machine is ______ to use.
이 기계는 사용하기 간단하다.

11 **rent** - rented - rented 동 빌리다

He will ______ a room in London for a month.
그는 한달 동안 런던에 있는 방을 빌릴 것이다.

12 **sense** - sensed - sensed 명 감각 동 감지하다

She has a great ______ of humor.
그녀의 유머 감각은 대단하다.

They ______d that he didn't like the idea.
그들은 그가 그 생각을 좋아하지 않는다는 것을 감지했다.

13 **sigh** - sighed - sighed 동 한숨을 쉬다

He ______ed deeply and sat down.
그는 깊게 한숨을 쉬고 앉았다.

14 **prize** 명 상

My niece won first ______ in the dance contest. 내 여자 조카는 춤 경연 대회에서 일등상을 받았다.

15 **vacation** 명 방학

Today is the first day of our summer ______.
오늘이 여름 방학의 첫날이다.

16 **wide** 형 넓은

Follow the ______ road.
넓은 길을 따라 가라.

Step 3 학습한 단어 확인하기

A 우리말은 영어로, 영어는 우리말로 쓰세요.

1 법 ______________
2 추가의, 여분의 ______________
3 상 ______________
4 빌리다 ______________
5 목록 ______________
6 감각; 감지하다 ______________
7 간단한, 간소한 ______________
8 노력하다 ______________
9 army ______________
10 front ______________
11 sigh ______________
12 crazy ______________
13 vacation ______________
14 wide ______________
15 nephew ______________
16 niece ______________

B 괄호 안에서 알맞은 단어를 고르세요.

1 Follow the (wide / wild) road. 넓은 길을 따라 가라.

2 She has a great (sense / series) of humor. 그녀의 유머 감각은 대단하다.

3 He got an e-mail from his (nephew / niece) in France.
그는 프랑스에 있는 여자 조카에게 이메일을 받았다.

C 주어진 상자에서 알맞은 단어를 골라 문장을 완성하세요.

extra	army	crazy	simple

1 It's a ______________ idea. 그것은 말도 안 되는 생각이다.

2 This machine is ______________ to use. 이 기계는 사용하기 간단하다.

3 I have to do ______________ work. 나는 추가 근무를 해야 한다.

4 My brother will join the ______________ tomorrow. 우리 형은 내일 군대에 갈 것이다.

정답 p. 166

D 우리말 뜻을 보고, 문장을 완성하세요.

1 Jack is his only ____________. Jack은 그의 유일한 **남자 조카**이다.

2 He will ____________ to win the race. 그는 경주에서 이기기 위해 **노력할** 것이다.

3 I don't want to break the ____________. 나는 **법**을 어기고 싶지 않다.

4 My mother wrote a shopping ____________. 우리 엄마는 쇼핑 **목록**을 쓰셨다.

5 Let's meet in ____________ of the library. 도서관 **앞**에서 만나자.

6 He ____________ deeply and sat down. 그는 깊게 **한숨을 쉬고** 앉았다.

7 He will ____________ a room in London for a month. 그는 한달 동안 런던에 있는 방을 **빌릴** 것이다.

8 Today is the first day of our summer ____________. 오늘이 여름 **방학**의 첫날이다.

9 My ____________ won first ____________ in the dance contest.
내 **여자 조카**는 춤 경연 대회에서 일등**상**을 받았다.

누적 테스트 Unit 06~07의 주요 단어입니다. 우리말 뜻에 맞는 영어 단어를 쓰세요.

1	맨 아랫부분, 바닥	9	앞
2	만화	10	군대
3	구멍	11	남자 조카
4	별명	12	여자 조카
5	완벽한	13	목록
6	시력, 광경	14	빌리다
7	여행	15	한숨을 쉬다
8	도둑	16	방학

Unit 08

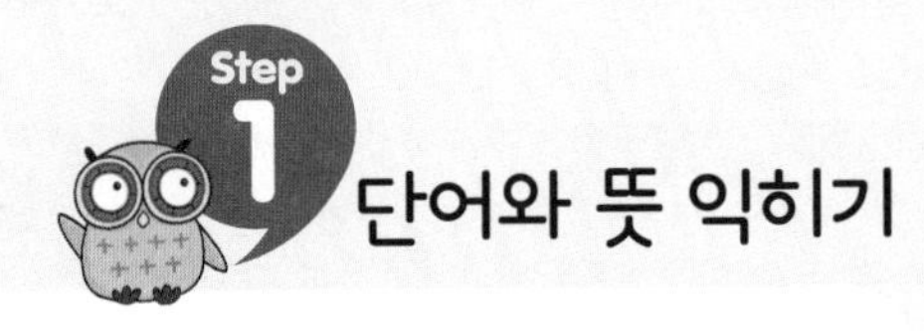

01 **blank** [blæŋk] ㊐ 빈칸 ㊙ 빈

02 **chopstick** [tʃápstìk] ㊐ 젓가락

> 젓가락은 두 개를 같이 사용하기 때문에 주로 복수형인 chopsticks의 형태로 써요.

03 **concert** [kánsəːrt] ㊐ 음악회, 콘서트

04 **culture** [kʌ́ltʃər] ㊐ 문화

05 **dozen** [dʌ́zn] ㊐ 12개 한 묶음

06 **market** [máːrkit] ㊐ 시장

07 **fry** [frai] ㊍ 튀기다

08 **insect** [ínsekt] ㊐ 곤충

과연 이 반지의 정체는?

단어를 쓰며 철자와 뜻을 외우세요.

09 **favorite** [féivərit] 형 가장 좋아하는

10 **museum** [mjuːzíːəm] 명 박물관, 미술관

11 **ocean** [óuʃən] 명 대양, 바다

12 **mistake** [mistéik] 명 실수

'실수하다'라고 말할 때는 make a mistake로 나타내요.

13 **serious** [síəriəs] 형 진지한, 심각한

14 **wallet** [wálit] 명 지갑

15 **smell** [smel] 동 냄새가 나다 명 냄새

16 **roll** [roul] 동 구르다

Step 2 예문 속 단어 익히기

01 **blank**	명 빈칸 형 빈	Fill in the ______ with your name. 빈칸에 당신의 이름을 쓰세요. Suddenly my monitor went ______. 갑자기 내 모니터가 텅 비어버렸다.
02 **chopstick**	명 젓가락	Teach me how to use ______s. 나에게 젓가락 사용법을 가르쳐 줘.
03 **concert**	명 음악회, 콘서트	How about going to the rock ______? 록 콘서트에 가는 게 어때?
04 **culture**	명 문화	Carol is studying Korean ______. Carol은 한국 문화를 공부하고 있다.
05 **dozen**	명 12개 한 묶음	These donuts are ten dollars a ______. 이 도넛은 12개에 10달러이다.
06 **market**	명 시장	We bought some vegetables at the ______. 우리는 시장에서 채소를 좀 샀다.
07 **fry** - fried - fried	동 튀기다	______ the onion for one minute. 양파를 1분 동안 튀겨라.
08 **insect**	명 곤충	Butterflies are a type of ______. 나비는 곤충의 일종이다.

09 **favorite** 형 가장 좋아하는

Who is your ______ movie actor?
네가 가장 좋아하는 영화 배우는 누구니?

10 **museum** 명 박물관, 미술관

The ______ is closed on Mondays.
그 박물관은 월요일마다 문을 닫는다.

My favorite ______ is in London.
내가 가장 좋아하는 미술관은 런던에 있다.

11 **ocean** 명 대양, 바다

There are five ______s on the earth.
지구에는 5대양이 있다.

12 **mistake** 명 실수

I made the same ______ again.
나는 또 같은 실수를 했다.

13 **serious** 형 진지한, 심각한

Don't laugh. I am ______.
웃지 마. 난 진지해.

14 **wallet** 명 지갑

Do you have any money in your ______?
너는 지갑에 돈이 있니?

15 **smell**
- smelled - smelled
- smelt - smelt

동 냄새가 나다
명 냄새

These flowers ______ sweet.
이 꽃들은 달콤한 냄새가 난다.

I like this ______.
나는 이 냄새를 좋아한다.

16 **roll**
- rolled - rolled

동 구르다

He ______ed down the hill.
그는 언덕을 굴러 내려갔다.

Step 3 학습한 단어 확인하기

A 우리말은 영어로, 영어는 우리말로 쓰세요.

1 문화 ____________

2 실수 ____________

3 시장 ____________

4 박물관, 미술관 ____________

5 음악회 ____________

6 구르다 ____________

7 대양, 바다 ____________

8 빈칸; 빈 ____________

9 insect ____________

10 chopstick ____________

11 favorite ____________

12 serious ____________

13 dozen ____________

14 wallet ____________

15 fry ____________

16 smell ____________

B 괄호 안에서 알맞은 단어를 고르세요.

1 (Mix / Fry) the onion for one minute. 양파를 1분 동안 튀겨라.

2 Teach me how to use (spoons / chopsticks). 나에게 젓가락 사용법을 가르쳐 줘.

3 How about going to the rock (contest / concert)? 록 콘서트에 가는 게 어때?

C 주어진 상자에서 알맞은 단어를 골라 문장을 완성하세요.

wallet	market	museum	culture

1 Do you have any money in your ____________? 너는 지갑에 돈이 있니?

2 The ____________ is closed on Mondays. 그 박물관은 월요일마다 문을 닫는다.

3 Carol is studying Korean ____________. Carol은 한국 문화를 공부하고 있다.

4 We bought some vegetables at the ____________. 우리는 시장에서 채소를 좀 샀다.

정답 p. 166

D 우리말 뜻을 보고, 문장을 완성하세요.

1 He ____________ down the hill. 그는 언덕을 **굴러** 내려갔다.

2 Don't laugh. I am ____________. 웃지 마. 난 **진지해.**

3 Who is your ____________ movie actor? 네가 **가장 좋아하는** 영화 배우는 누구니?

4 There are five ____________ on the earth. 지구에는 5**대양**이 있다.

5 These flowers ____________ sweet. 이 꽃들은 달콤한 **냄새가 난다.**

6 Fill in the ____________ with your name. **빈칸**에 당신의 이름을 쓰세요.

7 I made the same ____________ again. 나는 또 같은 **실수**를 했다.

8 Butterflies are a type of ____________. 나비는 **곤충**의 일종이다.

9 These donuts are ten dollars a ____________. 이 도넛은 **12개**에 10달러이다.

누적 테스트 Unit 07~08의 주요 단어입니다. 우리말 뜻에 맞는 영어 단어를 쓰세요.

1	정상이 아닌, 열광하는	9	젓가락
2	추가의, 여분의	10	12개 한 묶음
3	노력하다	11	튀기다
4	법	12	곤충
5	간단한, 간소한	13	가장 좋아하는
6	감각; 감지하다	14	실수
7	상	15	진지한, 심각한
8	넓은	16	지갑

주제별 어휘

Character

clever 형 영리한, 똑똑한

curious 형 호기심 많은

friendly 형 친절한, 다정한

honest 형 정직한

patient 형 참을성 있는

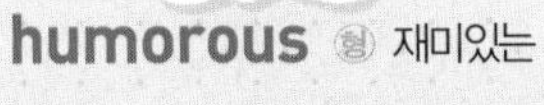

humorous 형 재미있는

foolish 형 바보 같은, 어리석은

silly 형 바보 같은, 어리석은

careless 형 조심성 없는

diligent 형 근면한, 성실한

hardworking 형 근면한, 부지런히 일하는

active 형 활발한, 적극적인

01 **friendly** 형 친절한, 다정한
Mr. Jackson is a ______ person.
Jackson 씨는 친절한 사람이다.

02 **clever** 형 영리한, 똑똑한
She is ______ and learns quickly.
그녀는 영리해서 빨리 배운다.

03 **curious** 형 호기심 많은
My six-year-old nephew is a ______ kid.
나의 6살짜리 남자 조카는 호기심이 많은 아이이다.

04 **humorous** 형 재미있는
My science teacher is so ______.
우리 과학 선생님은 정말 재미있다.

05 **honest** 형 정직한
I like Judy because she is ______.
나는 Judy가 정직하기 때문에 그녀를 좋아한다.

06 **patient** 형 참을성 있는
You have to be ______.
너는 참을성을 가져야 한다.

07 **diligent** 형 근면한, 성실한
A ______ student will get good grades.
성실한 학생이 좋은 점수를 받을 것이다.

08 **hardworking** 형 근면한, 부지런히 일하는
The girl is honest and ______.
그 소녀는 정직하고 근면하다.

09 **active** 형 활발한, 적극적인
Sue is ______ and full of energy.
Sue는 활발하고 에너지가 넘친다.

10 **foolish** 형 바보 같은, 어리석은
He was young and ______ at that time.
그는 그 당시에 젊고 어리석었다.

11 **silly** 형 바보 같은, 어리석은
I think Jack is very ______ and lazy.
나는 Jack이 매우 바보 같고 게으르다고 생각한다.

12 **careless** 형 조심성 없는
The ______ driver didn't slow down.
그 조심성 없는 운전자는 속도를 늦추지 않았다.

01 **bubble** [bʌ́bl] 명 거품, 비눗방울

02 **important** [impɔ́:rtənt] 형 중요한

03 **cloudy** [kláudi] 형 흐린

04 **expensive** [ikspénsiv] 형 비싼

05 **shower** [ʃáuər] 명 소나기, 샤워

> shower에서 sh [ʃ]는 우리말의 '쉬'와 비슷한 소리가 나요.

06 **grammar** [grǽmər] 명 문법

07 **history** [hístəri] 명 역사

08 **hope** [houp] 동 바라다 명 희망

지피지기면 백전백승이지!

단어를 쓰며 철자와 뜻을 외우세요.

09 **kite** [kait] 명 연

10 **reach** [riːtʃ] 동 도착하다

11 **normal** [nɔ́ːrməl] 형 보통의, 평범한

12 **palace** [pǽlis] 명 궁전

13 **pride** [praid] 명 자부심, 자만심

14 **basic** [béisik] 형 기본적인

15 **return** [ritə́ːrn] 동 돌아오다, 돌려주다

16 **cash** [kæʃ] 명 현금, 돈

'동전'이라는 뜻의 coin과 '지폐'라는 뜻의 bill도 함께 알아두세요.

Step 2 예문 속 단어 익히기

01 **bubble** ㉠ 거품, 비눗방울
Children like to blow ________s.
아이들은 비눗방울 부는 것을 좋아한다.

02 **important** ㉡ 중요한
Love is ________ in my life.
내 인생에서 사랑은 중요하다.

03 **cloudy** ㉡ 흐린
It's ________ today.
오늘은 날이 흐리다.

04 **expensive** ㉡ 비싼
This bag is too ________ for me.
이 가방은 나에겐 너무 비싸다.

05 **shower** ㉠ 소나기, 샤워
We were caught in the ________.
우리는 소나기를 만났다.
I take a ________ every day.
나는 매일 샤워를 한다.

06 **grammar** ㉠ 문법
English ________ is difficult to learn.
영문법은 배우기 어렵다.

07 **history** - histories ㉠ 역사
Dora read a book about Korean ________.
Dora는 한국 역사에 관한 책을 읽었다.

08 **hope** - hoped - hoped ㉢ 바라다 ㉠ 희망
I ________ everyone is happy.
나는 모두가 행복하길 바란다.
We are young and full of ________.
우리는 젊고 희망으로 가득 차 있다.

09 **kite** 명 연

Let's fly a ______ at the park.
공원에서 연을 날리자.

10 **reach** - reached - reached 동 도착하다

I couldn't ______ school on time.
나는 학교에 제시간에 도착할 수 없었다.

11 **normal** 형 보통의, 평범한

The man lived a ______ life.
그 남자는 평범한 삶을 살았다.

12 **palace** 명 궁전

The king built a beautiful ______.
그 왕은 아름다운 궁전을 지었다.

13 **pride** 명 자부심, 자만심

I take ______ in my work.
나는 내 일에 자부심을 느낀다.

14 **basic** 형 기본적인

These are the ______ questions.
이것들은 기본적인 질문들이다.

15 **return** - returned - returned 동 돌아오다, 돌려주다

She ______ed home from China.
그녀는 중국에서 집으로 돌아왔다.

I have to ______ the books to the library.
나는 그 책들을 도서관에 반납해야 한다.

16 **cash** 명 현금, 돈

How much ______ do you have?
너는 현금을 얼마나 가지고 있니?

Step 3 학습한 단어 확인하기

A 우리말은 영어로, 영어는 우리말로 쓰세요.

1 문법 ____________

2 중요한 ____________

3 자부심, 자만심 ____________

4 바라다; 희망 ____________

5 보통의, 평범한 ____________

6 돌아오다 ____________

7 소나기, 샤워 ____________

8 비싼 ____________

9 kite ____________

10 bubble ____________

11 history ____________

12 palace ____________

13 cloudy ____________

14 reach ____________

15 cash ____________

16 basic ____________

B 괄호 안에서 알맞은 단어를 고르세요.

1 I (hop / hope) everyone is happy. 나는 모두가 행복하길 바란다.

2 The king built a beautiful (palace / place). 그 왕은 아름다운 궁전을 지었다.

3 She (returned / turned) home from China. 그녀는 중국에서 집으로 돌아왔다.

C 주어진 상자에서 알맞은 단어를 골라 문장을 완성하세요.

shower	expensive	kite	cloudy

1 It's ____________ today. 오늘은 날이 흐리다.

2 We were caught in the ____________. 우리는 소나기를 만났다.

3 This bag is too ____________ for me. 이 가방은 나에겐 너무 비싸다.

4 Let's fly a ____________ at the park. 공원에서 연을 날리자.

정답 p. 166

D 우리말 뜻을 보고, 문장을 완성하세요.

1 I take ____________ in my work. 나는 내 일에 **자부심**을 느낀다.

2 Children like to blow ____________. 아이들은 **비눗방울** 부는 것을 좋아한다.

3 Love is ____________ in my life. 내 인생에서 사랑은 **중요하다.**

4 The man lived a ____________ life. 그 남자는 **평범한** 삶을 살았다.

5 These are the ____________ questions. 이것들은 **기본적인** 질문들이다.

6 How much ____________ do you have? 너는 **현금**을 얼마나 가지고 있니?

7 I couldn't ____________ school on time. 나는 학교에 제시간에 **도착할** 수 없었다.

8 English ____________ is difficult to learn. 영**문법**은 배우기 어렵다.

9 Dora read a book about Korean ____________. Dora는 한국 **역사**에 관한 책을 읽었다.

누적 테스트 Unit 08~09의 주요 단어입니다. 우리말 뜻에 맞는 영어 단어를 쓰세요.

1	빈칸; 빈		9	거품, 비눗방울	
2	음악회, 콘서트		10	흐린	
3	문화		11	문법	
4	시장		12	역사	
5	박물관, 미술관		13	연	
6	대양, 바다		14	도착하다	
7	냄새가 나다; 냄새		15	궁전	
8	구르다		16	현금, 돈	

Step 1 단어와 뜻 익히기

01 **string** 명 줄, 끈
[striŋ]

02 **medium** 형 중간의
[míːdiəm]

03 **careful** 형 조심하는
[kέərfəl]

care(조심, 주의)+ -ful(형용사를 만드는 접미사) = careful(조심하는)

04 **dangerous** 형 위험한
[déindʒərəs]

05 **destroy** 동 파괴하다
[distrɔ́i]

06 **explain** 동 설명하다
[ikspléin]

07 **global** 형 세계적인, 지구의
[glóubəl]

08 **island** 명 섬
[áilənd]

island에서 s는 소리 나지 않아요.

이제 와서 포기할 순 없지.

단어를 쓰며 철자와 뜻을 외우세요.

09 **language** [lǽŋgwidʒ] 명 언어

Korean(한국어), English (영어), Chinese (중국어) 등이 language (언어)에 속해요.

10 **map** [mæp] 명 지도

11 **modern** [mádərn] 형 현대의

12 **risk** [risk] 명 위험

13 **shake** [ʃeik] 동 흔들다, 흔들리다

14 **rub** [rʌb] 동 문지르다, 비비다

15 **shot** [ʃɑt] 명 (총기) 발사, 주사

16 **noisy** [nɔ́izi] 형 시끄러운

Step 2 예문 속 단어 익히기

01 **string**	명 줄, 끈	The box is tied with a yellow ______. 그 상자는 노란색 끈으로 묶여 있다.
02 **medium**	형 중간의	This shirt comes in three sizes – Small, ______ and Large. 이 셔츠는 소, 중, 대, 세 가지 사이즈로 나온다. (대문자로 시작하세요.)
03 **careful**	형 조심하는	Be ______ when you cross the street. 길을 건널 때에는 조심해라.
04 **dangerous**	형 위험한	This road is very ______ for children. 이 도로는 아이들에게 매우 위험하다.
05 **destroy** - destroyed - destroyed	동 파괴하다	Their house was ______ed by a fire. 그들의 집은 화재로 파괴되었다.
06 **explain** - explained - explained	동 설명하다	I will ______ the rules of the game. 나는 경기의 규칙을 설명할 것이다.
07 **global**	형 세계적인, 지구의	The ______ economy is changing quickly. 세계 경제는 빠르게 변하고 있다. ______ warming is a big problem. 지구 온난화는 큰 문제이다.
08 **island**	명 섬	The ship landed on a small ______. 그 배는 작은 섬에 상륙했다.

09 **language** ⓜ 언어

English is a global ______.

영어는 세계적인 언어이다.

10 **map** ⓜ 지도

This is a ______ of London.

이것은 런던의 지도이다.

11 **modern** ⓗ 현대의

What is important in ______ life?

현대의 생활에서 무엇이 중요할까?

12 **risk** ⓜ 위험

The captain didn't want to take any ______s.

그 선장은 어떤 위험도 감수하고 싶지 않았다.

13 **shake** - shook - shaken ⓓ 흔들다, 흔들리다

______ the bottle before you open it.

병을 열기 전에 흔들어라.

불규칙 과거형으로 쓰세요.

The ground ______ during the earthquake.

지진이 일어나는 동안 땅이 흔들렸다.

14 **rub** - rubbed - rubbed ⓓ 문지르다, 비비다

Jane ______bed her hands together.

Jane은 두 손을 문질렀다.

15 **shot** ⓜ (총기) 발사, 주사

Who took a ______ at the car?

누가 그 차에 총을 발사했나요?

The nurse will give you a ______.

그 간호사가 너에게 주사를 놓아 줄 것이다.

16 **noisy** ⓗ 시끄러운

The room was filled with ______ children.

그 방은 시끄러운 아이들로 가득 차 있었다.

학습한 단어 확인하기

A 우리말은 영어로, 영어는 우리말로 쓰세요.

1 위험 ____________

2 지도 ____________

3 세계적인, 지구의 ____________

4 문지르다 ____________

5 조심하는 ____________

6 중간의 ____________

7 섬 ____________

8 파괴하다 ____________

9 explain ____________

10 language ____________

11 string ____________

12 modern ____________

13 shake ____________

14 dangerous ____________

15 noisy ____________

16 shot ____________

B 괄호 안에서 알맞은 단어를 고르세요.

1 Jane (robbed / rubbed) her hands together. Jane은 두 손을 문질렀다.

2 Who took a (shot / shout) at the car? 누가 그 차에 총을 발사했나요?

3 This shirt comes in three sizes – Small, (Media / Medium) and Large.
이 셔츠는 소, 중, 대, 세 가지 사이즈로 나온다.

C 주어진 상자에서 알맞은 단어를 골라 문장을 완성하세요.

destroyed	map	careful	global

1 This is a ____________ of London. 이것은 런던의 지도이다.

2 ____________ warming is a big problem. 지구 온난화는 큰 문제이다.

3 Their house was ____________ by a fire. 그들의 집은 화재로 파괴되었다.

4 Be ____________ when you cross the street. 길을 건널 때에는 조심해라.

정답 p. 167

D 우리말 뜻을 보고, 문장을 완성하세요.

1 I will ________ the rules of the game. 나는 경기의 규칙을 **설명할** 것이다.

2 What is important in ________ life? **현대의** 생활에서 무엇이 중요할까?

3 ________ the bottle before you open it. 병을 열기 전에 **흔들어라.**

4 The box is tied with a yellow ________. 그 상자는 노란색 **끈**으로 묶여 있다.

5 The ship landed on a small ________. 그 배는 작은 **섬**에 상륙했다.

6 This road is very ________ for children. 이 도로는 아이들에게 매우 **위험하다.**

7 The room was filled with ________ children. 그 방은 **시끄러운** 아이들로 가득 차 있었다.

8 The captain didn't want to take any ________. 그 선장은 어떤 **위험**도 감수하고 싶지 않았다.

9 English is a ________ ________. 영어는 **세계적인 언어**이다.

누적 테스트 Unit 09~10의 주요 단어입니다. 우리말 뜻에 맞는 영어 단어를 쓰세요.

1	중요한	9	줄, 끈
2	비싼	10	위험한
3	소나기, 샤워	11	설명하다
4	바라다; 희망	12	섬
5	보통의, 평범한	13	언어
6	자부심, 자만심	14	현대의
7	기본적인	15	흔들다, 흔들리다
8	돌아오다, 돌려주다	16	시끄러운

Unit 11

Step 1 단어와 뜻 익히기

01 **agree** [əgríː] 동 동의하다

02 **feather** [féðər] 명 (새의) 깃털

03 **bill** [bil] 명 계산서, 지폐

04 **bow** [bau] 동 고개를 숙이다

05 **examine** [igzǽmin] 동 조사하다, 검사하다

06 **beauty** [bjúːti] 명 아름다움, 미인

07 **strange** [streindʒ] 형 이상한

08 **healthy** [hélθi] 형 건강한

health(건강) + -y(형용사를 만드는 접미사) = healthy(건강한)

이 배, 뭔가 수상한데 …

단어를 쓰며 철자와 뜻을 외우세요.

09 invention [invénʃən]
명 발명, 발명품
'발명하다'라는 뜻의 동사는 invent로 나타내요.

10 loud [laud]
형 (소리가) 큰, 시끄러운

11 fix [fiks]
동 고치다

12 proud [praud]
형 자랑스러워하는
be proud of(…을 자랑스러워하다)의 형태로 자주 쓰여요.

13 quite [kwait]
부 꽤, 상당히

14 wish [wiʃ]
동 바라다
명 바람, 소원

15 wet [wet]
형 젖은

16 tiny [táini]
형 아주 작은

Step 2 예문 속 단어 익히기

01 **agree** - agreed - agreed
㉯ 동의하다
I ______ with you.
나는 네 말에 동의해.

02 **feather**
㉢ (새의) 깃털
The ______s of the bird are so beautiful.
그 새의 깃털들은 정말 아름답다.

03 **bill**
㉢ 계산서, 지폐
May I have the ______, please?
계산서를 주시겠어요?
I gave him a 5,000 won ______.
나는 그에게 5천원짜리 지폐를 주었다.

04 **bow** - bowed - bowed
㉯ 고개를 숙이다
The boy ______ed to his teacher.
그 소년은 선생님에게 고개를 숙여 인사했다.

05 **examine** - examined - examined
㉯ 조사하다, 검사하다
The teacher ______d the students' uniforms.
그 선생님은 학생들의 교복을 검사했다.

06 **beauty** - beauties
㉢ 아름다움, 미인
Can you see the ______ of nature?
너는 자연의 아름다움을 볼 수 있니?
My aunt is a real ______.
우리 이모는 정말 미인이다.

07 **strange**
㉱ 이상한
You look ______ today.
너는 오늘 이상해 보여.

08 **healthy**
㉱ 건강한
Eat right and exercise, and you'll be ______.
바르게 먹고 운동을 해, 그러면 너는 건강해질 거야.

09 **invention** ㉮ 발명, 발명품

Necessity is the mother of ______.
필요는 발명의 어머니이다.

I think the smartphone is a great ______.
나는 스마트폰이 훌륭한 발명품이라고 생각한다.

10 **loud** ㉯ (소리가) 큰, 시끄러운

The music is too ______.
음악 소리가 너무 크다.

11 **fix** - fixed - fixed ㉰ 고치다

Can you ______ the computer?
너는 그 컴퓨터를 고칠 수 있니?

12 **proud** ㉯ 자랑스러워하는

My brother won first prize. I'm ______ of him. 우리 형이 1등상을 탔다. 나는 그가 자랑스럽다.

13 **quite** ㉱ 꽤, 상당히

The movie is ______ interesting.
그 영화는 꽤 재미있다.

14 **wish** - wished - wished ㉰ 바라다 ㉮ 바람, 소원

I ______ you a Happy New Year!
행복한 새해가 되길 바라!

She has a ______ to see him again.
그녀는 그를 다시 만나고 싶다는 바람이 있다.

15 **wet** ㉯ 젖은

My hair is still ______.
내 머리는 여전히 젖어 있다.

16 **tiny** ㉯ 아주 작은

What a ______ cat it is!
그것은 아주 작은 고양이구나!

Step 3 학습한 단어 확인하기

A 우리말은 영어로, 영어는 우리말로 쓰세요.

1 아름다움, 미인 ________

2 동의하다 ________

3 이상한 ________

4 조사하다 ________

5 (소리가) 큰 ________

6 자랑스러워하는 ________

7 바라다; 소원 ________

8 아주 작은 ________

9 quite ________

10 wet ________

11 bill ________

12 feather ________

13 invention ________

14 bow ________

15 healthy ________

16 fix ________

B 괄호 안에서 알맞은 단어를 고르세요.

1 What a (tiny / tight) cat it is! 그것은 아주 작은 고양이구나!

2 My aunt is a real (beast / beauty). 우리 이모는 정말 미인이다.

3 Eat right and exercise, and you'll be (hearty / healthy).
바르게 먹고 운동을 해, 그러면 너는 건강해질 거야.

C 주어진 상자에서 알맞은 단어를 골라 문장을 완성하세요.

fix	wish	bowed	examined

1 The boy ________ to his teacher. 그 소년은 선생님에게 고개를 숙여 인사했다.

2 Can you ________ the computer? 너는 그 컴퓨터를 고칠 수 있니?

3 The teacher ________ the students' uniforms. 그 선생님은 학생들의 교복을 검사했다.

4 I ________ you a Happy New Year! 행복한 새해가 되길 바라!

정답 p. 167

D 우리말 뜻을 보고, 문장을 완성하세요.

1 I ____________ with you. 나는 네 말에 **동의해.**

2 You look ____________ today. 너는 오늘 **이상해** 보여.

3 My hair is still ____________. 내 머리는 여전히 **젖어** 있다.

4 The music is too ____________. 음악 소리가 너무 **크다.**

5 The movie is ____________ interesting. 그 영화는 **꽤** 재미있다.

6 May I have the ____________, please? **계산서**를 주시겠어요?

7 Necessity is the mother of ____________. 필요는 **발명**의 어머니이다.

8 The ____________ of the bird are so beautiful. 그 새의 **깃털들**은 정말 아름답다.

9 My brother won first prize. I'm ____________ of him.
우리 형이 1등상을 탔다. 나는 그가 **자랑스럽다.**

누적 테스트 Unit 10~11의 주요 단어입니다. 우리말 뜻에 맞는 영어 단어를 쓰세요.

1	중간의	9	(새의) 깃털
2	조심하는	10	계산서, 지폐
3	파괴하다	11	고개를 숙이다
4	세계적인, 지구의	12	건강한
5	지도	13	발명, 발명품
6	위험	14	고치다
7	문지르다, 비비다	15	꽤, 상당히
8	(총기) 발사, 주사	16	젖은

Unit 12

01 **rude** [ru:d] 형 무례한, 버릇없는

반대말은 polite(예의 바른)예요.

02 **happen** [hǽpən] 동 (일이) 일어나다

03 **joy** [dʒɔi] 명 기쁨

04 **popular** [pάpjulər] 형 인기 있는

05 **needle** [ní:dl] 명 바늘

06 **control** [kəntróul] 동 통제하다, 억제하다 명 통제, 지배

07 **save** [seiv] 동 구하다, 저축하다

08 **solar** [sóulər] 형 태양의

선장님의 정체가 마법사라고?

단어를 쓰며 철자와 뜻을 외우세요.

09 **success** [səksés] 명 성공

10 **airport** [ɛ́ərpɔ̀ːrt] 명 공항

air(공중, 항공) + port(항구) = airport(공항)

11 **taste** [teist] 동 … 맛이 나다 명 맛

12 **think** [θiŋk] 동 생각하다

13 **result** [rizʌ́lt] 명 결과

14 **village** [vílidʒ] 명 마을

15 **build** [bild] 동 (건물 등을) 짓다

16 **funny** [fʌ́ni] 형 재미있는

fun(재미) + -y(형용사를 만드는 접미사)=funny(재미있는)

예문 속 단어 익히기

01 **rude**	형 무례한, 버릇없는	We can't stand her ______ behavior. 우리는 그녀의 버릇없는 행동을 참을 수 없다.
02 **happen** - happened - happened	동 (일이) 일어나다	What ______ed to you last night? 어젯밤에 네게 무슨 일이 일어났니?
03 **joy**	명 기쁨	His daughter always gives him ______. 그의 딸은 항상 그에게 기쁨을 준다.
04 **popular**	형 인기 있는	Which singer is ______ these days? 요즘엔 어떤 가수가 인기 있니?
05 **needle**	명 바늘	A compass ______ points north. 나침반 바늘은 북쪽을 가리킨다.
06 **control** - controlled - controlled	동 통제하다, 억제하다 명 통제, 지배	The parents couldn't ______ their children. 그 부모는 아이들을 통제할 수 없었다. The teacher has good ______ of her students. 그 교사는 학생들을 잘 통제한다.
07 **save** - saved - saved	동 구하다, 저축하다	The brave man ______d the girl. 그 용감한 남자가 소녀를 구했다. She ______s half of her salary every month. 그녀는 매달 급여의 절반을 저축한다.
08 **solar**	형 태양의	The sun is the center of our ______ system. 태양은 우리 태양계의 중심이다.

09 **success** - successes
명 성공
The road to ______ is not straight.
성공에 이르는 길은 곧지 않다.

10 **airport**
명 공항
The airplane is landing at the ______.
비행기가 공항에 착륙하고 있다.

11 **taste** - tasted - tasted
동 …맛이 나다
명 맛
Honey ______s sweet.
꿀은 달콤한 맛이 난다.
The soup has a very salty ______.
그 수프는 매우 짠맛이 난다.

12 **think** - thought - thought
동 생각하다
I ______ Jacky is rude.
나는 Jacky가 버릇없다고 생각한다.

13 **result**
명 결과
Ann worried about the test ______s.
Ann은 시험 결과에 대해 걱정했다.

14 **village**
명 마을
What a beautiful ______!
정말 아름다운 마을이구나!

15 **build** - built - built
동 (건물 등을) 짓다
불규칙 과거형으로 쓰세요.
They ______ the bridge in 2005.
그들은 2005년에 그 다리를 지었다.

16 **funny**
형 재미있는
Chris is a very ______ boy.
Chris는 매우 재미있는 소년이다.

Step 3 학습한 단어 확인하기

A 우리말은 영어로, 영어는 우리말로 쓰세요.

1 구하다, 저축하다 ____________
2 마을 ____________
3 통제하다; 통제 ____________
4 생각하다 ____________
5 기쁨 ____________
6 공항 ____________
7 재미있는 ____________
8 바늘 ____________
9 rude ____________
10 taste ____________
11 success ____________
12 result ____________
13 happen ____________
14 solar ____________
15 build ____________
16 popular ____________

B 괄호 안에서 알맞은 단어를 고르세요.

1 A compass (needle / noodle) points north. 나침반 바늘은 북쪽을 가리킨다.
2 His daughter always gives him (joy / joke). 그의 딸은 항상 그에게 기쁨을 준다.
3 The brave man (saved / solved) the girl. 그 용감한 남자가 소녀를 구했다.

C 주어진 상자에서 알맞은 단어를 골라 문장을 완성하세요.

tastes	solar	rude	results

1 Honey ____________ sweet. 꿀은 달콤한 맛이 난다.
2 Ann worried about the test ____________. Ann은 시험 결과에 대해 걱정했다.
3 We can't stand her ____________ behavior. 우리는 그녀의 버릇없는 행동을 참을 수 없다.
4 The sun is the center of our ____________ system. 태양은 우리 태양계의 중심이다.

정답 p. 167

D 우리말 뜻을 보고, 문장을 완성하세요.

1 Chris is a very ____________ boy. Chris는 매우 **재미있는** 소년이다.

2 What a beautiful ____________! 정말 아름다운 **마을**이구나!

3 The parents couldn't ____________ their children. 그 부모는 아이들을 **통제할** 수 없었다.

4 They ____________ the bridge in 2005. 그들은 2005년에 그 다리를 **지었다**.

5 What ____________ to you last night? 어젯밤에 네게 무슨 일이 **일어났니**?

6 The road to ____________ is not straight. **성공**에 이르는 길은 곧지 않다.

7 Which singer is ____________ these days? 요즘엔 어떤 가수가 **인기 있니**?

8 The airplane is landing at the ____________. 비행기가 **공항**에 착륙하고 있다.

9 I ____________ Jacky is ____________. 나는 Jacky가 **버릇없다**고 **생각한다**.

누적 테스트

Unit 11~12의 주요 단어입니다. 우리말 뜻에 맞는 영어 단어를 쓰세요.

1	동의하다	9	무례한, 버릇없는
2	조사하다, 검사하다	10	(일이) 일어나다
3	아름다움, 미인	11	인기 있는
4	이상한	12	태양의
5	(소리가) 큰, 시끄러운	13	성공
6	자랑스러워하는	14	… 맛이 나다; 맛
7	바라다; 바람, 소원	15	결과
8	아주 작은	16	(건물 등을) 짓다

pleased 형 기쁜

upset 형 속상한

anxious 형 불안해하는

bored 형 지루해하는

tired 형 피곤한

lonely 형 외로운

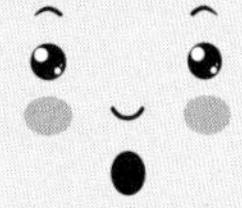

interested 형 관심있어 하는

surprised 형 놀란

excited 형 신이 난

shocked 형 충격을 받은

afraid 형 두려워하는

scared 형 무서워하는

01 **pleased**	형 기쁜, 기뻐하는	She was ______ with her exam results. 그녀는 자신의 시험 결과에 기뻐했다.
02 **upset**	형 속상한, 마음이 상한	Sam was very ______ because he lost his phone. Sam은 전화기를 잃어버려서 매우 속상했다.
03 **anxious**	형 불안해하는, 염려하는	My parents are ______ about me. 우리 부모님은 나를 염려하신다.
04 **bored**	형 지루해하는	We were really ______ today. 우리는 오늘 정말 지루했다.
05 **tired**	형 피곤한	I'm ______. I need to get some rest. 나는 피곤해. 좀 쉬어야겠어.
06 **lonely**	형 외로운	Don't feel ______. I'll always be with you. 외로워하지 마. 내가 항상 너와 함께 있을 거야.
07 **interested**	형 관심있어 하는	I'm ______ in art. 나는 미술에 관심이 있다.
08 **surprised**	형 놀란	Mr. Black was ______ at the news. Black 씨는 그 소식에 놀랐다.
09 **excited**	형 신이 난, 흥분한	The children were ______ about their presents. 아이들은 선물에 신이 났다.
10 **shocked**	형 충격을 받은	She was ______ by his accident. 그녀는 그의 사고에 충격을 받았다.
11 **afraid**	형 두려워하는	Are you ______ of spiders? 너는 거미를 두려워하니?
12 **scared**	형 무서워하는	Toby is ______ of the dark. Toby는 어둠을 무서워한다.

Unit 13

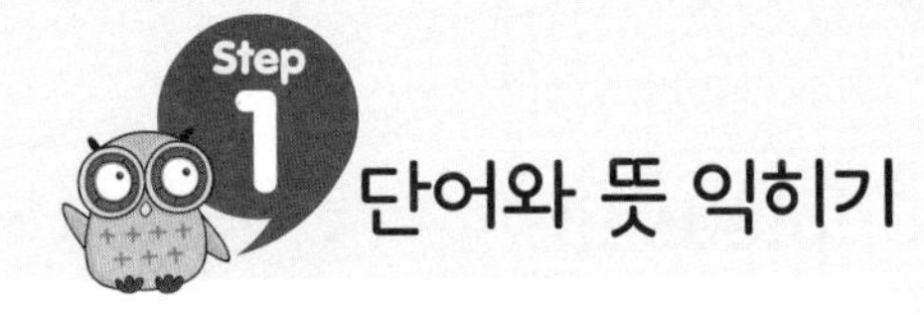

01 **condition** [kəndíʃən] 명 상태

02 **engine** [éndʒin] 명 엔진

03 **tight** [tait] 형 단단한, 꼭 끼는

tight에서 gh는 소리 나지 않아요.

04 **shy** [ʃai] 형 부끄럼을 타는

05 **late** [leit] 형 늦은 부 늦게

06 **mean** [miːn] 동 의미하다

07 **print** [print] 동 인쇄하다

08 **nervous** [nə́ːrvəs] 형 불안해하는

nerve(긴장, 불안)+-ous(형용사를 만드는 접미사) = nervous (불안해하는)

수정 구슬은 과연 어디에 있을까?

단어를 쓰며 철자와 뜻을 외우세요.

09 **pilot** [páilət]
명 파일럿, 조종사

10 **spend** [spend]
동 (돈을) 쓰다

11 **search** [səːrtʃ]
동 찾다
명 찾기, 수색

12 **hammer** [hǽmər]
명 망치

13 **silver** [sílvər]
명 은

14 **trouble** [trʌ́bl]
명 문제, 곤란

15 **energy** [énərdʒi]
명 활기, 에너지

16 **want** [wɑnt]
동 원하다

「want+to+동사원형(…하기를 원하다)」의 형태로 자주 쓰여요.

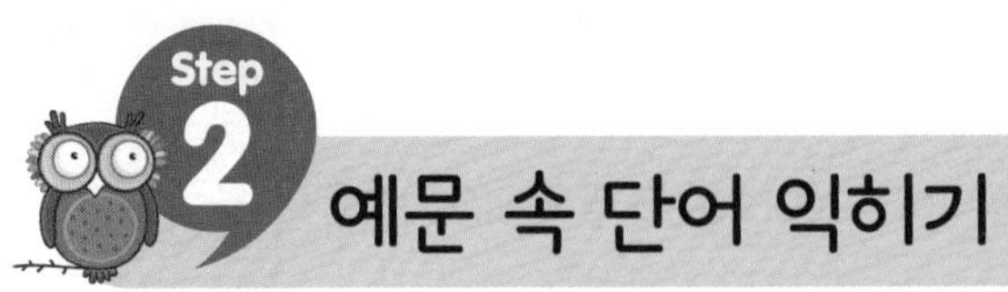

예문 속 단어 익히기

01 **condition** 명 상태

My car is old, but it's in good ______.
내 차는 낡았지만 상태가 좋다.

02 **engine** 명 엔진

I turned the ______ off.
나는 엔진을 껐다.

03 **tight** 형 단단한, 꼭 끼는

The knot was ______ enough.
그 매듭은 충분히 단단했다.

She was wearing a ______ skirt.
그녀는 꼭 끼는 치마를 입고 있었다.

04 **shy** 형 부끄럼을 타는

She is ______ with strangers.
그녀는 낯선 사람들에게 부끄럼을 탄다.

05 **late** 형 늦은 부 늦게

I was ______ for school this morning.
나는 오늘 아침 학교에 늦었다.

I stayed up ______ last night.
나는 어젯밤에 늦게까지 깨어있었다.

06 **mean** - meant - meant 동 의미하다

What does the word ______?
그 단어는 무엇을 의미하니?

07 **print** - printed - printed 동 인쇄하다

Will you ______ this report?
너는 이 보고서를 인쇄할 거니?

08 **nervous** 형 불안해하는

I am ______ about the test.
나는 시험 때문에 불안하다.

09 **pilot** 명 파일럿, 조종사

My dream is to be a great ______.
나의 꿈은 훌륭한 파일럿이 되는 것이다.

10 **spend** - spent - spent 동 (돈을) 쓰다

She ______s a lot of money on clothes.
그녀는 옷에 많은 돈을 쓴다.

11 **search** - searched - searched 동 찾다 명 찾기, 수색

I ______ for information on the Internet.
나는 인터넷에서 정보를 찾는다.

They will begin a ______ for a new staff.
그들은 새로운 직원을 찾기 시작할 것이다.

12 **hammer** 명 망치

He hit the nail with the ______.
그는 망치로 못을 내리쳤다.

13 **silver** 명 은

This ring is made of ______.
이 반지는 은으로 만들어졌다.

14 **trouble** 명 문제, 곤란

Did you have any ______?
너는 무슨 문제가 있었니?

15 **energy** - energies 명 활기, 에너지

How can we use solar ______ at home?
우리는 어떻게 하면 가정에서 태양 에너지를 사용할 수 있을까?

16 **want** - wanted - wanted 동 원하다

They ______ to make new friends.
그들은 새로운 친구들을 사귀길 원한다.

학습한 단어 확인하기

A 우리말은 영어로, 영어는 우리말로 쓰세요.

1 활기, 에너지 ____________
2 파일럿, 조종사 ____________
3 부끄럼을 타는 ____________
4 상태 ____________
5 은 ____________
6 엔진 ____________
7 불안해하는 ____________
8 의미하다 ____________
9 late ____________
10 tight ____________
11 print ____________
12 hammer ____________
13 trouble ____________
14 spend ____________
15 want ____________
16 search ____________

B 괄호 안에서 알맞은 단어를 고르세요.

1 Will you (paint / print) this report? 너는 이 보고서를 인쇄할 거니?

2 They (went / want) to make new friends. 그들은 새로운 친구들을 사귀길 원한다.

3 She was wearing a (tight / light) skirt. 그녀는 꼭 끼는 치마를 입고 있었다.

C 주어진 상자에서 알맞은 단어를 골라 문장을 완성하세요.

engine	energy	hammer	pilot

1 I turned the ____________ off. 나는 엔진을 껐다.

2 He hit the nail with the ____________. 그는 망치로 못을 내리쳤다.

3 My dream is to be a great ____________. 나의 꿈은 훌륭한 파일럿이 되는 것이다.

4 How can we use solar ____________ at home?
우리는 어떻게 하면 가정에서 태양 에너지를 사용할 수 있을까?

정답 p. 168

D 우리말 뜻을 보고, 문장을 완성하세요.

1 I stayed up ____________ last night. 나는 어젯밤에 **늦게까지** 깨어있었다.

2 I ____________ for information on the Internet. 나는 인터넷에서 정보를 **찾는다**.

3 She is ____________ with strangers. 그녀는 낯선 사람들에게 **부끄럼을 탄다**.

4 I am ____________ about the test. 나는 시험 때문에 **불안하다**.

5 What does the word ____________? 그 단어는 무엇을 **의미하니**?

6 Did you have any ____________? 너는 무슨 **문제**가 있었니?

7 This ring is made of ____________. 이 반지는 **은**으로 만들어졌다.

8 She ____________ a lot of money on clothes. 그녀는 옷에 많은 돈을 **쓴다**.

9 My car is old, but it's in good ____________. 내 차는 낡았지만 **상태**가 좋다.

누적 테스트 Unit 12~13의 주요 단어입니다. 우리말 뜻에 맞는 영어 단어를 쓰세요.

1	기쁨	9	단단한, 꼭 끼는
2	바늘	10	늦은; 늦게
3	통제하다; 통제	11	인쇄하다
4	구하다, 저축하다	12	(돈을) 쓰다
5	공항	13	찾다; 찾기, 수색
6	생각하다	14	망치
7	마을	15	문제, 곤란
8	재미있는	16	원하다

Unit 14

01 **board** [bɔːrd] 동 탑승하다

05 **root** [ruːt] 명 뿌리

02 **count** [kaunt] 동 세다

06 **hang** [hæŋ] 동 걸다, 매달다

03 **example** [igzǽmpl] 명 예, 보기

07 **march** [mɑːrtʃ] 동 행진하다

대문자로 시작하는 March(3월)와 발음이 같아요.

04 **feed** [fiːd] 동 음식을 주다, 부양하다

08 **gather** [gǽðər] 동 모이다, 모으다

정말 범인은 마녀일까?

하지만 마녀가 훔친 게 아닐 수도 있다는 생각에 나 혼자 배를 board하고 가는 거란다.

단어를 쓰며 철자와 뜻을 외우세요.

09 scissors [sízərz]
명 가위

> scissors나 glasses(안경) 같은 단어는 원래 쌍으로 이루어진 사물이라서 복수형으로 써요.

10 sleepy [slíːpi]
형 졸리운

> sleep(잠) + -y(형용사를 만드는 접미사) = sleepy(졸리운)

11 system [sístəm]
명 체계, 시스템

12 planet [plǽnit]
명 행성

13 topic [tápik]
명 화제, 주제

14 trip [trip]
명 여행

15 slice [slais]
명 조각

> 주로 a slice of(한 조각의), two slices of(두 조각의) 등의 형태로 쓰여요.

16 capital [kǽpətl]
명 수도, 대문자

저희도 마법사님을 위해 수정 구슬을 찾으려고 trip을 떠난 거예요.
정말이니? 내 수정 구슬을 찾아주려 한다니 고맙구나.

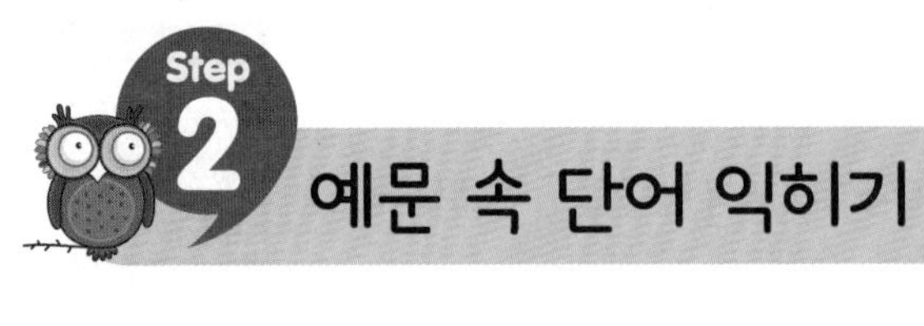

Step 2 예문 속 단어 익히기

01 **board** - boarded - boarded
동 탑승하다
We ______ed a plane.
우리는 비행기에 탑승했다.

02 **count** - counted - counted
동 세다
The child can ______ from 1 to 10.
그 아이는 1에서 10까지 셀 수 있다.

03 **example**
명 예, 보기
I will show you an ______.
내가 너에게 예를 보여줄게.

04 **feed** - fed - fed
동 음식을 주다, 부양하다
It's time to ______ the cats.
고양이들에게 먹이를 줄 시간이다.
The man has a large family to ______.
그 남자는 부양할 가족이 많다.

05 **root**
명 뿌리
I pulled the plant up by the ______s.
나는 그 식물을 뿌리째 뽑았다.

06 **hang** - hung - hung
동 걸다, 매달다
______ your jacket up on the hook.
네 재킷을 옷걸이에 걸어라.

07 **march** - marched - marched
동 행진하다
The soldiers ______ed along the road.
군인들이 그 길을 따라 행진했다.

08 **gather** - gathered - gathered
동 모이다, 모으다
A lot of people ______ed in the park.
많은 사람들이 공원에 모였다.
Mr. Holmes will ______ information about the man. Holmes 씨는 그 남자에 대한 정보를 모을 것이다.

09 **scissors** 명 가위

Be careful when you use the ________.

가위를 사용할 때는 조심해라.

10 **sleepy** 형 졸리운

I'm very ________ now.

나는 지금 매우 졸리다.

11 **system** 명 체계, 시스템

I can't understand the computer ________.

나는 컴퓨터 시스템을 이해할 수 없다.

12 **planet** 명 행성

Our solar system has eight ________s.

우리 태양계는 8개의 행성을 가지고 있다.

13 **topic** 명 화제, 주제

What's the ________ of discussion?

토론의 주제는 무엇이니?

14 **trip** 명 여행

How was your ________ to Turkey?

터키 여행은 어땠니?

15 **slice** 명 조각

I had a ________ of toast for breakfast.

나는 아침식사로 토스트 한 조각을 먹었다.

16 **capital** 명 수도, 대문자

Seoul is the ________ of Korea.

서울은 한국의 수도이다.

Please write in ________s.

대문자로 써주세요.

Step 3 학습한 단어 확인하기

A 우리말은 영어로, 영어는 우리말로 쓰세요.

1 졸리운 ____________

2 예, 보기 ____________

3 수도, 대문자 ____________

4 걸다, 매달다 ____________

5 화제, 주제 ____________

6 세다 ____________

7 체계, 시스템 ____________

8 행진하다 ____________

9 root ____________

10 gather ____________

11 scissors ____________

12 board ____________

13 planet ____________

14 trip ____________

15 feed ____________

16 slice ____________

B 괄호 안에서 알맞은 단어를 고르세요.

1 I will show you an (examination / example). 내가 너에게 예를 보여줄게.

2 The soldiers (marched / matched) along the road. 군인들이 그 길을 따라 행진했다.

3 Our solar system has eight (planets / plants). 우리 태양계는 8개의 행성을 가지고 있다.

C 주어진 상자에서 알맞은 단어를 골라 문장을 완성하세요.

sleepy	roots	feed	count

1 The child can ____________ from 1 to 10. 그 아이는 1에서 10까지 셀 수 있다.

2 It's time to ____________ the cats. 고양이들에게 먹이를 줄 시간이다.

3 I'm very ____________ now. 나는 지금 매우 졸리다.

4 I pulled the plant up by the ____________. 나는 그 식물을 뿌리째 뽑았다.

정답 p. 168

D 우리말 뜻을 보고, 문장을 완성하세요.

1 We ____________ a plane. 우리는 비행기에 **탑승했다**.

2 A lot of people ____________ in the park. 많은 사람들이 공원에 **모였다**.

3 How was your ____________ to Turkey? 터키 **여행**은 어땠니?

4 What's the ____________ of discussion? 토론의 **주제**는 무엇이니?

5 ____________ your jacket up on the hook. 네 재킷을 옷걸이에 **걸어라**.

6 Seoul is the ____________ of Korea. 서울은 한국의 **수도**이다.

7 I had a ____________ of toast for breakfast. 나는 아침식사로 토스트 한 **조각**을 먹었다.

8 Be careful when you use the ____________. **가위**를 사용할 때는 조심해라.

9 I can't understand the computer ____________. 나는 컴퓨터 **시스템**을 이해할 수 없다.

누적 테스트

Unit 13~14의 주요 단어입니다. 우리말 뜻에 맞는 영어 단어를 쓰세요.

1	상태	9	탑승하다
2	엔진	10	예, 보기
3	부끄럼을 타는	11	뿌리
4	의미하다	12	모이다, 모으다
5	불안해하는	13	가위
6	파일럿, 조종사	14	행성
7	은	15	여행
8	활기, 에너지	16	조각

Unit 15

단어와 뜻 익히기

01 **subject** [sʌ́bdʒikt] 명 과목

> science(과학), math(수학), history(역사) 등이 subject에 포함돼요.

02 **castle** [kǽsl] 명 성

> castle에서 t는 소리 나지 않아요.

03 **greet** [griːt] 동 인사하다

04 **reason** [ríːzn] 명 이유

05 **skip** [skip] 동 깡충깡충 뛰다, 거르다

06 **remember** [rimémbər] 동 기억하다

07 **forget** [fərgét] 동 잊다

> remember와 forget처럼 반대되는 의미의 단어들은 함께 알아두세요.

08 **own** [oun] 동 소유하다

마법사가 되고 싶은 이유?

단어를 쓰며 철자와 뜻을 외우세요.

09 **mark** [mɑːrk] 동 표시하다

10 **nature** [néitʃər] 명 자연

11 **branch** [bræntʃ] 명 나뭇가지

12 **tax** [tæks] 명 세금

13 **tough** [tʌf] 형 힘든, 거친

tough의 gh가 [f]로 발음된다는 점에 유의하세요.

14 **wave** [weiv] 동 흔들다

15 **whole** [houl] 형 전체의, 모든

16 **yell** [jel] 동 소리치다

죄송해요. 그런데 마법사님과 마녀는 원래 친한 친구셨다고 하던데요.

맞아. 마을의 whole 사람들이 다 알고 있을 정도로 친했지.

Step 2 예문 속 단어 익히기

01 **subject**	명 과목	We learn many ______s at school. 우리는 학교에서 많은 과목들을 배운다.
02 **castle**	명 성	The ______ is on the hill. 그 성은 언덕 위에 있다.
03 **greet** - greeted - greeted	동 인사하다	Sally ______ed me with a smile. Sally는 미소를 지으며 나에게 인사했다.
04 **reason**	명 이유	He had a good ______ for being late. 그에게는 늦을 만한 합당한 이유가 있었다.
05 **skip** - skipped - skipped	동 깡충깡충 뛰다, 거르다	Ellen was happy, so she ______ped home. Ellen은 행복해서 집까지 깡충깡충 뛰어갔다. Don't ______ breakfast. 아침식사를 거르지 마라.
06 **remember** - remembered - remembered	동 기억하다	Do you ______ his name? 너는 그의 이름을 기억하니?
07 **forget** - forgot - forgotten	동 잊다	(불규칙 과거형으로 쓰세요.) I ______ to send him a birthday present. 나는 그에게 생일 선물을 보내는 것을 잊어버렸다.
08 **own** - owned - owned	동 소유하다	David ______s a nice car. David는 멋진 차를 소유하고 있다.

09 **mark** - marked - marked
동 표시하다
_____ the correct answer with a circle.
정답에 동그라미로 표시하세요.

10 **nature**
명 자연
The _____ here is wonderful.
여기의 자연은 멋지다.

11 **branch** - branches
명 나뭇가지
Birds are sitting on a _____.
새들이 나뭇가지에 앉아 있다.

12 **tax** - taxes
명 세금
The government decided to raise _____es.
정부는 세금을 올리기로 결정했다.

13 **tough**
형 힘든, 거친
My dad had a _____ childhood.
우리 아버지는 힘든 어린 시절을 보내셨다.
He played a _____ guy in the movie.
그는 영화에서 거친 남자를 연기했다.

14 **wave** - waved - waved
동 흔들다
She _____d her hand at me.
그녀는 나에게 손을 흔들었다.

15 **whole**
형 전체의, 모든
My brother can eat a _____ chicken.
우리 오빠는 치킨 한 마리를 다 먹을 수 있다.
Don't forget the _____ thing.
그 모든 일을 잊지 마라.

16 **yell** - yelled - yelled
동 소리치다
She _____ed at the rude boy.
그녀는 그 버릇없는 소년에게 소리쳤다.

Step 3 학습한 단어 확인하기

A 우리말은 영어로, 영어는 우리말로 쓰세요.

1 전체의, 모든 ____________
2 과목 ____________
3 인사하다 ____________
4 힘든, 거친 ____________
5 자연 ____________
6 깡충깡충 뛰다 ____________
7 기억하다 ____________
8 잊다 ____________
9 own ____________
10 mark ____________
11 branch ____________
12 castle ____________
13 wave ____________
14 tax ____________
15 yell ____________
16 reason ____________

B 괄호 안에서 알맞은 단어를 고르세요.

1 The (capital / castle) is on the hill. 그 성은 언덕 위에 있다.
2 She (weaved / waved) her hand at me. 그녀는 나에게 손을 흔들었다.
3 Birds are sitting on a (branch / brunch). 새들이 나뭇가지에 앉아 있다.

C 주어진 상자에서 알맞은 단어를 골라 문장을 완성하세요.

yelled	skipped	greeted	owns

1 Sally ____________ me with a smile. Sally는 미소를 지으며 나에게 인사했다.
2 David ____________ a nice car. David는 멋진 차를 소유하고 있다.
3 She ____________ at the rude boy. 그녀는 그 버릇없는 소년에게 소리쳤다.
4 Ellen was happy, so she ____________ home. Ellen은 행복해서 집까지 깡충깡충 뛰어갔다.

정답 p. 168

D 우리말 뜻을 보고, 문장을 완성하세요.

1 The ____________ here is wonderful. 여기의 **자연**은 멋지다.

2 The government decided to raise ____________. 정부는 **세금**을 올리기로 결정했다.

3 My dad had a ____________ childhood. 우리 아버지는 **힘든** 어린 시절을 보내셨다.

4 Do you ____________ his name? 너는 그의 이름을 **기억하니**?

5 We learn many ____________ at school. 우리는 학교에서 많은 **과목들**을 배운다.

6 ____________ the correct answer with a circle. 정답에 동그라미로 **표시하세요**.

7 I ____________ to send him a birthday present. 나는 그에게 생일 선물을 보내는 것을 **잊어버렸다**.

8 He had a good ____________ for being late. 그에게는 늦을 만한 합당한 **이유**가 있었다.

9 Don't ____________ the ____________ thing. 그 모든 일을 **잊지** 마라.

누적 테스트 Unit 14~15의 주요 단어입니다. 우리말 뜻에 맞는 영어 단어를 쓰세요.

1	세다	9	성
2	음식을 주다, 부양하다	10	이유
3	걸다, 매달다	11	소유하다
4	행진하다	12	표시하다
5	졸리운	13	나뭇가지
6	체계, 시스템	14	세금
7	화제, 주제	15	흔들다
8	수도, 대문자	16	소리치다

Unit 16

Step 1 단어와 뜻 익히기

01 **advice** [ædváis]
명 조언, 충고
'조언하다'라는 뜻의 동사 advise와 헷갈리지 않도록 유의하세요.

02 **giant** [dʒáiənt]
명 거인
형 거대한

03 **bury** [béri]
동 묻다

04 **center** [séntər]
명 중앙, 한가운데
영국 등에서는 centre라고 쓰기도 해요.

05 **coast** [koust]
명 해안

06 **downstairs** [daunstɛ́ərz]
부 아래층에서
'위층에서'라고 말할 때는 upstairs라고 써요.

07 **blanket** [blǽŋkit]
명 담요

08 **post** [poust]
명 우편, 우편물
동 발송하다

앗! 배가 흔들리고 있어요!

단어를 쓰며 철자와 뜻을 외우세요.

09 **row** 명 열, 줄
[rou]

10 **stomach** 명 위, 배
[stʌ́mək]

11 **royal** 형 국왕의, 여왕의
[rɔ́iəl]

12 **wrong** 형 틀린, 잘못된
[rɔ́:ŋ]

wrong에서 w는 소리 나지 않아요.

13 **understand** 동 이해하다
[ʌ̀ndərstǽnd]

14 **sweat** 명 땀
[swet]

15 **wonderful** 형 멋진, 훌륭한
[wʌ́ndərfəl]

16 **swing** 동 흔들다, 흔들리다
[swiŋ]

예문 속 단어 익히기

01 **advice** ㉺ 조언, 충고

I followed my grandmother's ______.

나는 할머니의 조언을 따랐다.

02 **giant** ㉺ 거인 ㉻ 거대한

Once upon a time, there was a ______.

옛날 옛적에 거인이 한 명 있었다.

Ron saw a ______ spider.

Ron은 거대한 거미를 보았다.

03 **bury** - buried - buried ㉸ 묻다

They will ______ their dead pet dog.

그들은 죽은 애완견을 묻을 것이다.

04 **center** ㉺ 중앙, 한가운데

Donuts have holes in the ______.

도넛은 한가운데에 구멍이 있다.

05 **coast** ㉺ 해안

The storm hit the east ______.

폭풍이 동쪽 해안을 강타했다.

06 **downstairs** ㉾ 아래층에서

The guest room is ______.

손님방은 아래층에 있다.

07 **blanket** ㉺ 담요

Cover the baby with a ______.

그 아기를 담요로 덮어 주어라.

08 **post** - posted - posted ㉺ 우편, 우편물 ㉸ 발송하다

I sent the book by ______.

나는 그 책을 우편으로 보냈다.

Could you ______ this letter for me?

나를 위해 이 편지를 발송해 주겠니?

09 **row**	명 열, 줄	She sat in the first ______. 그녀는 첫 번째 줄에 앉았다.
10 **stomach**	명 위, 배	I have a pain in my ______. 나는 배가 아프다.
11 **royal**	형 국왕의, 여왕의	The ______ family still exists in England. 영국에는 왕족이 여전히 존재한다.
12 **wrong**	형 틀린, 잘못된	I think you are ______. 나는 네가 틀렸다고 생각한다.
13 **understand** - understood - understood	동 이해하다	They didn't ______ the situation. 그들은 그 상황을 이해하지 못했다.
14 **sweat**	명 땀	The players are all wet with ______. 선수들은 땀으로 흠뻑 젖었다.
15 **wonderful**	형 멋진, 훌륭한	She lives in a house with a ______ garden. 그녀는 멋진 정원이 있는 집에서 산다.
16 **swing** - swung - swung	동 흔들다, 흔들리다	Jack ______s his arms when he walks. Jack은 걸을 때 팔을 흔든다. The leaves are ______ing in the wind. 나뭇잎들이 바람에 흔들리고 있다.

Step 3 학습한 단어 확인하기

A 우리말은 영어로, 영어는 우리말로 쓰세요.

1 이해하다 ____________

2 아래층에서 ____________

3 조언, 충고 ____________

4 국왕의, 여왕의 ____________

5 위, 배 ____________

6 멋진, 훌륭한 ____________

7 우편; 발송하다 ____________

8 중앙, 한가운데 ____________

9 row ____________

10 giant ____________

11 sweat ____________

12 coast ____________

13 bury ____________

14 wrong ____________

15 blanket ____________

16 swing ____________

B 괄호 안에서 알맞은 단어를 고르세요.

1 Cover the baby with a (blank / blanket). 그 아기를 담요로 덮어 주어라.

2 I followed my grandmother's (advise / advice). 나는 할머니의 조언을 따랐다.

3 The (loyal / royal) family still exists in England. 영국에는 왕족이 여전히 존재한다.

C 주어진 상자에서 알맞은 단어를 골라 문장을 완성하세요.

stomach	bury	center	post

1 Donuts have holes in the ____________. 도넛은 한가운데에 구멍이 있다.

2 They will ____________ their dead pet dog. 그들은 죽은 애완견을 묻을 것이다.

3 I have a pain in my ____________. 나는 배가 아프다.

4 Could you ____________ this letter for me? 나를 위해 이 편지를 발송해 주겠니?

정답 p. 169

D 우리말 뜻을 보고, 문장을 완성하세요.

1 She sat in the first ______________ . 그녀는 첫 번째 **줄**에 앉았다.

2 I think you are ______________ . 나는 네가 **틀렸다**고 생각한다.

3 They didn't ______________ the situation. 그들은 그 상황을 **이해하지** 못했다.

4 The guest room is ______________ . 손님방은 **아래층**에 있다.

5 The storm hit the east ______________ . 폭풍이 동쪽 **해안**을 강타했다.

6 The leaves are ______________ in the wind. 나뭇잎들이 바람에 **흔들리고** 있다.

7 The players are all wet with ______________ . 선수들은 **땀**으로 흠뻑 젖었다.

8 Once upon a time, there was a ______________ . 옛날 옛적에 **거인**이 한 명 있었다.

9 She lives in a house with a ______________ garden. 그녀는 **멋진** 정원이 있는 집에서 산다.

누적 테스트 Unit 15~16의 주요 단어입니다. 우리말 뜻에 맞는 영어 단어를 쓰세요.

1	과목	9	거인; 거대한
2	인사하다	10	묻다
3	깡충깡충 뛰다, 거르다	11	해안
4	기억하다	12	담요
5	잊다	13	열, 줄
6	자연	14	틀린, 잘못된
7	힘든, 거친	15	땀
8	전체의, 모든	16	흔들다, 흔들리다

주제별 어휘

rainy 형 비가 오는

sunny 형 화창한

shiny 형 맑게 갠

fine 형 (날씨가) 좋은

foggy 형 안개가 낀

chilly 형 쌀쌀한, 추운

windy 형 바람이 부는

thunder 명 천둥

flood 명 홍수

rainbow 명 무지개

climate 명 기후

temperature 명 온도, 기온

01	**sunny**	형 화창한	It's ______ today. I like this weather. 오늘은 날씨가 화창하다. 나는 이런 날씨가 좋다.
02	**shiny**	형 맑게 갠	Tomorrow, it'll be ______. 내일은 날씨가 맑게 갤 것이다.
03	**fine**	형 (날씨가) 좋은	It was a ______ day. 그날은 날씨가 좋은 날이었다.
04	**windy**	형 바람이 부는	It's too ______ for sailing today. 오늘은 항해하기에는 바람이 너무 많이 분다.
05	**rainy**	형 비가 오는	Do you like ______ days? 너는 비가 오는 날을 좋아하니?
06	**foggy**	형 안개가 낀	I don't drive when it's ______. 나는 안개가 낄 때는 운전하지 않는다.
07	**chilly**	형 쌀쌀한, 추운	It's getting ______ these days. 요즘 날씨가 점점 쌀쌀해지고 있다.
08	**thunder**	명 천둥	I was woken by the ______. 나는 천둥 때문에 잠에서 깼다.
09	**flood**	명 홍수	He lost his home in a ______. 그는 홍수로 집을 잃었다.
10	**rainbow**	명 무지개	We can't see ______s very often. 우리는 무지개를 자주 볼 수 없다.
11	**climate**	명 기후	These trees won't grow in cold ______s. 이 나무들은 추운 기후에서는 자라지 않을 것이다.
12	**temperature**	명 온도, 기온	The ______ has risen by three degrees. 기온이 3도 올라갔다.

Unit 17

01 **accept** [æksépt] — 동 받아들이다

05 **exit** [égzit] — 명 출구 / 동 나가다

02 **blind** [blaind] — 형 눈이 먼

06 **flat** [flæt] — 형 평평한

03 **bear** [bɛər] — 동 낳다, 출산하다

주로 「be동사 + 과거분사(born)」의 형태로 쓰여 '태어나다'라는 의미를 나타내요.

07 **cave** [keiv] — 명 동굴

04 **cross** [krɔːs] — 동 건너다

08 **lead** [liːd] — 동 이끌다, 안내하다

lead 뒤에 접미사 -er을 붙이면 '지도자, 리더(leader)'라는 의미가 돼요.

단어를 쓰며 철자와 뜻을 외우세요.

09 **fairy** [fέəri]
명 요정

fairy(요정) + tale(이야기) = fairy tale(동화)

10 **practice** [prǽktis]
명 연습
동 연습하다

11 **rush** [rʌʃ]
동 서두르다, 돌진하다

12 **shine** [ʃain]
동 빛나다

13 **site** [sait]
명 위치, 장소

14 **speech** [spiːtʃ]
명 연설

15 **thin** [θin]
형 얇은, 마른

반대말은 thick(두꺼운, 굵은)이에요.

16 **victory** [víktəri]
명 승리

예문 속 단어 익히기

01 **accept** - accepted - accepted

㉢ 받아들이다

She didn't ______ my advice.

그녀는 나의 조언을 받아들이지 않았다.

02 **blind**

㉻ 눈이 먼

He became ______ after a long illness.

그는 오래 앓고 난 후에 앞을 못 보게 되었다.

03 **bear** - bore - born

㉢ 낳다, 출산하다

(불규칙 과거분사형으로 쓰세요.)

Ted was ______ in 2002.

Ted는 2002년에 태어났다.

04 **cross** - crossed - crossed

㉢ 건너다

You can't ______ the street now.

너는 지금 길을 건널 수 없다.

05 **exit** - exited - exited

㉮ 출구
㉢ 나가다

There are four ______s in the building.

그 건물에는 4개의 출구가 있다.

Please ______ on your left.

왼쪽으로 나가 주세요.

06 **flat**

㉻ 평평한

People believed the earth was ______.

사람들은 지구가 평평하다고 믿었다.

07 **cave**

㉮ 동굴

Bats live in a ______.

박쥐는 동굴에서 산다.

08 **lead** - led - led

㉢ 이끌다, 안내하다

Who will ______ our country in the future?

누가 미래에 우리나라를 이끌게 될까?

09 **fairy**
- fairies

명 요정

The girl thought that there was a ______ in the garden. 그 소녀는 정원에 요정이 있다고 생각했다.

10 **practice**
- practiced
- practiced

명 연습
동 연습하다

______ makes perfect.
연습이 완벽을 만든다.

We ______d the song last weekend.
우리는 지난 주말에 그 노래를 연습했다.

11 **rush**
- rushed - rushed

동 서두르다, 돌진하다

The children ______ed down the stairs.
아이들은 계단을 서둘러 내려왔다.

12 **shine**
- shone - shone

동 빛나다

The stars at night ______ brightly.
밤에는 별들이 밝게 빛난다.

13 **site**

명 위치, 장소

They chose a ______ for the new school.
그들은 새로운 학교를 위한 장소를 선정했다.

14 **speech**
- speeches

명 연설

Many people gathered to hear her ______.
많은 사람들이 그녀의 연설을 듣기 위해 모였다.

15 **thin**

형 얇은, 마른

Cindy is wearing a ______ summer skirt.
Cindy는 얇은 여름 치마를 입고 있다.

My brother is tall and ______.
우리 형은 키가 크고 말랐다.

16 **victory**
- victories

명 승리

He was sure of his ______.
그는 자신의 승리를 확신했다.

학습한 단어 확인하기

A 우리말은 영어로, 영어는 우리말로 쓰세요.

1 연설 ______________

2 위치, 장소 ______________

3 눈이 먼 ______________

4 이끌다, 안내하다 ______________

5 평평한 ______________

6 서두르다 ______________

7 출구; 나가다 ______________

8 연습; 연습하다 ______________

9 cross ______________

10 cave ______________

11 shine ______________

12 victory ______________

13 bear ______________

14 thin ______________

15 fairy ______________

16 accept ______________

B 괄호 안에서 알맞은 단어를 고르세요.

1 Ted was (bored / born) in 2002. Ted는 2002년에 태어났다.

2 Please (exist / exit) on your left. 왼쪽으로 나가 주세요.

3 Who will (lead / read) our country in the future? 누가 미래에 우리나라를 이끌게 될까?

C 주어진 상자에서 알맞은 단어를 골라 문장을 완성하세요.

practice	flat	thin	rushed

1 ______________ makes perfect. 연습이 완벽을 만든다.

2 People believed the earth was ______________. 사람들은 지구가 평평하다고 믿었다.

3 The children ______________ down the stairs. 아이들은 계단을 서둘러 내려왔다.

4 Cindy is wearing a ______________ summer skirt. Cindy는 얇은 여름 치마를 입고 있다.

정답 p. 169

D 우리말 뜻을 보고, 문장을 완성하세요.

1 Bats live in a ______________. 박쥐는 동굴에서 산다.

2 He was sure of his ______________. 그는 자신의 승리를 확신했다.

3 She didn't ______________ my advice. 그녀는 나의 조언을 받아들이지 않았다.

4 You can't ______________ the street now. 너는 지금 길을 건널 수 없다.

5 The stars at night ______________ brightly. 밤에는 별들이 밝게 빛난다.

6 They chose a ______________ for the new school. 그들은 새로운 학교를 위한 장소를 선정했다.

7 He became ______________ after a long illness. 그는 오래 앓고 난 후에 앞을 못 보게 되었다.

8 Many people gathered to hear her ______________.
많은 사람들이 그녀의 연설을 듣기 위해 모였다.

9 The girl thought that there was a ______________ in the garden.
그 소녀는 정원에 요정이 있다고 생각했다.

누적 테스트 Unit 16~17의 주요 단어입니다. 우리말 뜻에 맞는 영어 단어를 쓰세요.

1	조언, 충고	9	받아들이다
2	중앙, 한가운데	10	낳다, 출산하다
3	아래층에서	11	건너다
4	우편, 우편물; 발송하다	12	동굴
5	위, 배	13	요정
6	국왕의, 여왕의	14	빛나다
7	이해하다	15	얇은, 마른
8	멋진, 훌륭한	16	승리

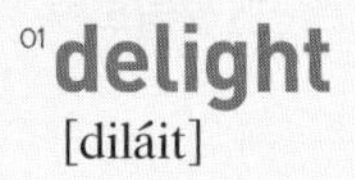

Unit 18

단어와 뜻 익히기

[01] **delight** [diláit]
명 기쁨, 즐거움

[02] **brush** [brʌʃ]
명 솔, 붓
동 솔질을 하다

[03] **century** [séntʃəri]
명 100년, 세기
> '10년'은 decade, '1000년'은 millennium이라고 써요.

[04] **clerk** [kləːrk]
명 점원

[05] **colorful** [kʌ́lərfəl]
형 색채가 풍부한
> color(색, 빛깔) + -ful(형용사를 만드는 접미사) = colorful(색채가 풍부한)

[06] **ache** [eik]
명 아픔
동 아프다

[07] **float** [flout]
동 뜨다

[08] **glory** [glɔ́ːri]
명 영광, 명예

가만히 있을 순 없어요!

단어를 쓰며 철자와 뜻을 외우세요.

09 **harm** [hɑːrm]
명 해, 손해
동 해치다

13 **thick** [θik]
형 두꺼운

10 **introduce** [ìntrədjúːs]
동 소개하다

14 **regular** [régjulər]
형 규칙적인

11 **kingdom** [kíŋdəm]
명 왕국

15 **slide** [slaid]
동 미끄러지다

12 **mind** [maind]
명 마음, 정신
동 신경 쓰다

16 **poet** [póuit]
명 시인

'시'는 poem이라고 써요.

Step 2 예문 속 단어 익히기

01 **delight**
명 기쁨, 즐거움
Meeting him was a ______.
그를 만나서 기뻤다.

02 **brush** - brushed - brushed
명 솔, 붓
동 솔질을 하다
Emily dipped her ______ into the paint.
Emily는 물감에 붓을 담갔다.
I ______ my teeth after every meal.
나는 식후마다 양치질을 한다.

03 **century** - centuries
명 100년, 세기
The museum was built in the 19th ______.
그 박물관은 19세기에 지어졌다.

04 **clerk**
명 점원
The ______ helped me find the book.
그 점원은 내가 책을 찾는 걸 도와주었다.

05 **colorful**
형 색채가 풍부한
Look at the ______ painting!
저 색채가 풍부한 그림을 봐라!

06 **ache** - ached - ached
명 아픔
동 아프다
I have an ______ in my back.
나는 등에 통증이 있다.
My feet ______d badly.
내 발이 심하게 아팠다.

07 **float** - floated - floated
동 뜨다
Can you ______ on water?
너는 물에 뜰 수 있니?

08 **glory** - glories
명 영광, 명예
How do I achieve ______?
내가 어떻게 하면 명예를 얻지?

09 **harm** - harmed - harmed

명 해, 손해
동 해치다

There is no ______ in trying.
시도해서 손해볼 일은 없다.

Did they really ______ each other?
그들이 정말 서로를 해쳤니?

10 **introduce** - introduced - introduced

동 소개하다

I'd like to ______ my friend, Leo.
제 친구인 Leo를 소개할게요.

11 **kingdom**

명 왕국

Elsa became the queen of the ______.
Elsa는 그 왕국의 여왕이 되었다.

12 **mind** - minded - minded

명 마음, 정신
동 신경 쓰다

Nothing will change my ______.
무엇도 내 마음을 바꾸지 못할 것이다.

She doesn't ______ telling people her age.
그녀는 사람들에게 자신의 나이를 말하는 걸 신경 쓰지 않는다.

13 **thick**

형 두꺼운

Judy has ______, curly hair.
Judy는 두꺼운 곱슬머리이다.

14 **regular**

형 규칙적인

You need to eat ______ meals.
너는 규칙적인 식사를 해야 한다.

15 **slide** - slid - slid [slidden]

동 미끄러지다

(불규칙 과거형으로 쓰세요.)
We ______ down the slope of a hill.
우리는 언덕의 비탈길을 미끄러져 내려갔다.

16 **poet**

명 시인

Kim Chunsu is a famous Korean ______.
김춘수는 유명한 한국의 시인이다.

Step 3 학습한 단어 확인하기

A 우리말은 영어로, 영어는 우리말로 쓰세요.

1 두꺼운 ______________

2 아픔; 아프다 ______________

3 규칙적인 ______________

4 뜨다 ______________

5 해; 해치다 ______________

6 영광, 명예 ______________

7 색채가 풍부한 ______________

8 소개하다 ______________

9 poet ______________

10 brush ______________

11 delight ______________

12 clerk ______________

13 mind ______________

14 century ______________

15 kingdom ______________

16 slide ______________

B 괄호 안에서 알맞은 단어를 고르세요.

1 The (clock / clerk) helped me find the book. 그 점원은 내가 책을 찾는 걸 도와주었다.

2 Elsa became the queen of the (knight / kingdom). Elsa는 그 왕국의 여왕이 되었다.

3 Kim Chunsu is a famous Korean (poet / poem). 김춘수는 유명한 한국의 시인이다.

C 주어진 상자에서 알맞은 단어를 골라 문장을 완성하세요.

brush	delight	harm	float

1 Meeting him was a ______________. 그를 만나서 기뻤다.

2 There is no ______________ in trying. 시도해서 손해볼 일은 없다.

3 I ______________ my teeth after every meal. 나는 식후마다 양치질을 한다.

4 Can you ______________ on water? 너는 물에 뜰 수 있니?

정답 p. 169

D 우리말 뜻을 보고, 문장을 완성하세요.

1 How do I achieve ____________? 내가 어떻게 하면 **명예**를 얻지?

2 Nothing will change my ____________. 무엇도 내 **마음**을 바꾸지 못할 것이다.

3 I have an ____________ in my back. 나는 등에 **통증**이 있다.

4 We ____________ down the slope of a hill. 우리는 언덕의 비탈길을 **미끄러져** 내려갔다.

5 You need to eat ____________ meals. 너는 **규칙적인** 식사를 해야 한다.

6 Judy has ____________, curly hair. Judy는 **두꺼운** 곱슬머리이다.

7 I'd like to ____________ my friend, Leo. 제 친구인 Leo를 **소개할게요**.

8 The museum was built in the 19th ____________. 그 박물관은 19**세기**에 지어졌다.

9 Look at the ____________ painting! 저 **색채가 풍부한** 그림을 봐라!

누적 테스트 Unit 17~18의 주요 단어입니다. 우리말 뜻에 맞는 영어 단어를 쓰세요.

1	눈이 먼	9	기쁨, 즐거움
2	출구; 나가다	10	솔, 붓; 솔질을 하다
3	평평한	11	색채가 풍부한
4	이끌다, 안내하다	12	아픔; 아프다
5	연습; 연습하다	13	왕국
6	서두르다, 돌진하다	14	마음, 정신; 신경 쓰다
7	위치, 장소	15	미끄러지다
8	연설	16	시인

Unit 19

단어와 뜻 익히기

01 **admit** [ædmít] 동 인정하다

05 **spot** [spɑt] 명 점, 장소

02 **baggage** [bǽgidʒ] 명 (여행용) 짐, 수하물

luggage도 같은 뜻을 나타내요.

06 **fold** [fould] 동 접다

03 **author** [ɔ́:θər] 명 작가

07 **happiness** [hǽpinis] 명 행복

happy(행복한) + -ness (명사를 만드는 접미사) = happiness (행복)

04 **habit** [hǽbit] 명 버릇, 습관

08 **harmony** [hɑ́:rməni] 명 조화, 화합

싸우는 건 싫어요.

단어를 쓰며 철자와 뜻을 외우세요.

09 **contest** [kántest] 명 대회, 시합

10 **master** [mǽstər] 동 완전히 익히다 명 주인

11 **ready** [rédi] 형 준비가 된

12 **public** [pʌ́blik] 명 대중 형 대중의, 공공의

13 **spell** [spel] 동 철자를 말하다

14 **cough** [kɔːf] 동 기침하다

cough에서 gh가 [f]로 발음된다는 점에 유의하세요.

15 **title** [táitl] 명 제목

16 **truth** [truːθ] 명 사실, 진실

Step 2 예문 속 단어 익히기

01 **admit** - admitted - admitted	㊐ 인정하다	I ______ that I was lucky. 나는 내가 운이 좋았다는 것을 인정한다.
02 **baggage**	㊔ (여행용) 짐, 수하물	We were waiting for our ______ at the airport. 우리는 공항에서 수하물을 기다리고 있었다.
03 **author**	㊔ 작가	Who is your favorite ______? 네가 가장 좋아하는 작가는 누구니?
04 **habit**	㊔ 버릇, 습관	Tony has the ______ of biting his nails. Tony는 손톱을 물어뜯는 버릇이 있다.
05 **spot**	㊔ 점, 장소	Nick has a black ______ on his nose. Nick은 코에 검은 점이 있다. Big Ben is a famous tourist ______ in London. 빅벤은 런던의 유명한 관광지이다.
06 **fold** - folded - folded	㊐ 접다	First, ______ the paper in half. 먼저, 종이를 반으로 접어라.
07 **happiness**	㊔ 행복	They smiled with ______. 그들은 행복하게 미소 지었다.
08 **harmony** - harmonies	㊔ 조화, 화합	I want to live in ______ with nature. 나는 자연과 조화롭게 살고 싶다.

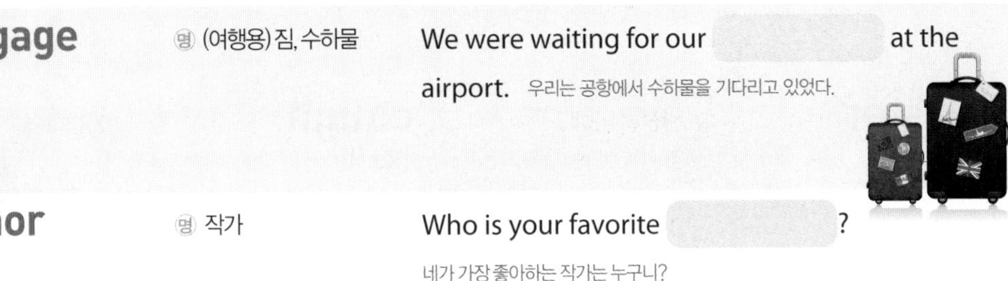

09 **contest** 명 대회, 시합

I won the school dance ______.
나는 학교 댄스 대회에서 우승했다.

10 **master** - mastered - mastered 동 완전히 익히다 명 주인

Betty tried to ______ Spanish.
Betty는 스페인어를 완전히 익히려고 애썼다.

The dog saved its ______.
그 개는 주인을 구했다.

11 **ready** 형 준비가 된

Are you ______ to go?
너는 갈 준비가 됐니?

12 **public** 명 대중 형 대중의, 공공의

The palace is now open to the ______.
그 궁전은 이제 대중에게 공개된다.

I borrow books from a ______ library.
나는 공공 도서관에서 책을 빌린다.

13 **spell** - spelled - spelled - spelt - spelt 동 철자를 말하다

Will you ______ the word for me?
내게 그 단어의 철자를 말해 줄래?

14 **cough** - coughed - coughed 동 기침하다

The dust in the room made them ______.
방 안의 먼지가 그들을 기침하게 만들었다.

15 **title** 명 제목

What's the ______ of the movie?
그 영화의 제목은 무엇이니?

16 **truth** 명 사실, 진실

You should tell the ______.
너는 사실을 말해야 한다.

Step 3 학습한 단어 확인하기

A 우리말은 영어로, 영어는 우리말로 쓰세요.

1 사실, 진실 ____________
2 대중; 대중의 ____________
3 인정하다 ____________
4 대회, 시합 ____________
5 버릇, 습관 ____________
6 준비가 된 ____________
7 접다 ____________
8 행복 ____________
9 spot ____________
10 harmony ____________
11 cough ____________
12 spell ____________
13 baggage ____________
14 master ____________
15 title ____________
16 author ____________

B 괄호 안에서 알맞은 단어를 고르세요.

1 First, (hold / fold) the paper in half. 먼저, 종이를 반으로 접어라.
2 Will you (spell / spill) the word for me? 내게 그 단어의 철자를 말해 줄래?
3 Big Ben is a famous tourist (spot / sport) in London. 빅벤은 런던의 유명한 관광지이다.

C 주어진 상자에서 알맞은 단어를 골라 문장을 완성하세요.

habit	contest	baggage	title

1 I won the school dance ____________. 나는 학교 댄스 대회에서 우승했다.
2 Tony has the ____________ of biting his nails. Tony는 손톱을 물어뜯는 버릇이 있다.
3 What's the ____________ of the movie? 그 영화의 제목은 무엇이니?
4 We were waiting for our ____________ at the airport.
우리는 공항에서 수하물을 기다리고 있었다.

정답 p. 170

D 우리말 뜻을 보고, 문장을 완성하세요.

1 Are you ____________ to go? 너는 갈 **준비가 됐니**?

2 I ____________ that I was lucky. 나는 내가 운이 좋았다는 것을 **인정한다**.

3 They smiled with ____________. 그들은 **행복**하게 미소 지었다.

4 Who is your favorite ____________? 네가 가장 좋아하는 **작가**는 누구니?

5 Betty tried to ____________ Spanish. Betty는 스페인어를 **완전히 익히려고** 애썼다.

6 You should tell the ____________. 너는 **사실**을 말해야 한다.

7 The dust in the room made them ____________. 방 안의 먼지가 그들을 **기침하게** 만들었다.

8 I want to live in ____________ with nature. 나는 자연과 **조화**롭게 살고 싶다.

9 The palace is now open to the ____________. 그 궁전은 이제 **대중**에게 공개된다.

누적 테스트 Unit 18~19의 주요 단어입니다. 우리말 뜻에 맞는 영어 단어를 쓰세요.

1	100년, 세기	9	(여행용) 짐, 수하물
2	점원	10	작가
3	뜨다	11	점, 장소
4	영광, 명예	12	조화, 화합
5	해, 손해; 해치다	13	준비가 된
6	소개하다	14	철자를 말하다
7	두꺼운	15	기침하다
8	규칙적인	16	제목

 20

단어와 뜻 익히기

01 **allow** [əláu]
동 허락하다

02 **boring** [bɔ́ːriŋ]
형 지루한

book, movie 등 지루하게 만드는 대상이 주어일 때 boring을 써요.

03 **care** [kɛər]
명 돌봄
동 관심을 가지다

04 **metal** [métl]
명 금속

05 **guide** [gaid]
동 안내하다

06 **role** [roul]
명 역할

07 **rope** [roup]
명 밧줄

08 **host** [houst]
명 주인, 주최자
동 주최하다

마법사님을 도와야 해!

단어를 쓰며 철자와 뜻을 외우세요.

09 **lay** [lei]
동 놓다, 눕히다
'눕다'라는 뜻의 단어 lie와 혼동하지 마세요.

10 **chief** [tʃiːf]
명 (조직의) 장
형 주된

11 **chew** [tʃuː]
동 씹다

12 **sheet** [ʃiːt]
명 (종이) 한 장
a sheet of(한 장의), two sheets of(두 장의) 형태로 자주 쓰여요.

13 **foreign** [fɔ́ːrən]
형 외국의

14 **sink** [siŋk]
동 가라앉다

15 **travel** [trǽvəl]
동 여행하다

16 **expect** [ikspékt]
동 기대하다, 예상하다

Step 2 예문 속 단어 익히기

01 **allow** - allowed - allowed	동 허락하다	My parents ______ed me to use a smartphone. 우리 부모님은 내가 스마트폰 사용하는 것을 허락하셨다.
02 **boring**	형 지루한	This book is ______. 이 책은 지루하다.
03 **care** - cared - cared	명 돌봄 동 관심을 가지다	Take good ______ of your little brother. 네 남동생을 잘 돌봐라. I don't ______ about her at all. 나는 그녀에게 전혀 관심이 없다.
04 **metal**	명 금속	The box is made of ______. 그 상자는 금속으로 만들어졌다.
05 **guide** - guided - guided	동 안내하다	She ______d us around the museum. 그녀는 우리에게 박물관 곳곳을 안내했다.
06 **role**	명 역할	Do you know the ______ of students in school? 너는 학교에서 학생의 역할을 알고 있니?
07 **rope**	명 밧줄	They tied his hands together with ______. 그들은 그의 두 손을 밧줄로 묶었다.
08 **host** - hosted - hosted	명 주인, 주최자 동 주최하다	The ______ of the party welcomed us. 파티의 주최자는 우리를 환영해 주었다. South Africa ______ed the 2010 World Cup. 남아프리카 공화국은 2010 월드컵을 주최했다.

불규칙 과거형으로 쓰세요.

09 **lay**
- laid - laid

동 놓다, 눕히다

Jessica ______ her baby on the bed.
Jessica는 아기를 침대에 눕혔다.

10 **chief**
- chiefs

명 (조직의) 장
형 주된

He is the ______ of police.
그는 경찰국장이다.

The ______ problem is that I'm very busy.
주된 문제는 내가 정말 바쁘다는 것이다.

11 **chew**
- chewed - chewed

동 씹다

______ your food enough.
음식을 충분히 씹어라.

12 **sheet**

명 (종이) 한 장

Lay a ______ of newspaper on the floor.
신문지 한 장을 바닥에 놓아라.

13 **foreign**

형 외국의

It is fun to learn a ______ language.
외국어를 배우는 것은 재미있다.

14 **sink**
- sank - sunk

동 가라앉다

The large ship was ______ing in the sea.
그 큰 배는 바다 속으로 가라앉고 있었다.

15 **travel**
- traveled - traveled
- travelled - travelled

동 여행하다

Someday we will ______ to space.
언젠가 우리는 우주를 여행할 것이다.

16 **expect**
- expected - expected

동 기대하다, 예상하다

Do you ______ me to believe that?
너는 내가 그것을 믿기를 기대하니?

학습한 단어 확인하기

A 우리말은 영어로, 영어는 우리말로 쓰세요.

1 여행하다 ______________

2 허락하다 ______________

3 씹다 ______________

4 안내하다 ______________

5 놓다, 눕히다 ______________

6 역할 ______________

7 외국의 ______________

8 금속 ______________

9 chief ______________

10 rope ______________

11 sink ______________

12 boring ______________

13 sheet ______________

14 care ______________

15 host ______________

16 expect ______________

B 괄호 안에서 알맞은 단어를 고르세요.

1 He is the (chef / chief) of police. 그는 경찰국장이다.

2 South Africa (posted / hosted) the 2010 World Cup. 남아프리카 공화국은 2010 월드컵을 주최했다.

3 Do you know the (role / rule) of students in school? 너는 학교에서 학생의 역할을 알고 있니?

C 주어진 상자에서 알맞은 단어를 골라 문장을 완성하세요.

laid	guided	care	allowed

1 I don't ______________ about her at all. 나는 그녀에게 전혀 관심이 없다.

2 Jessica ______________ her baby on the bed. Jessica는 아기를 침대에 눕혔다.

3 She ______________ us around the museum. 그녀는 우리에게 박물관 곳곳을 안내했다.

4 My parents ______________ me to use a smartphone.
우리 부모님은 내가 스마트폰 사용하는 것을 허락하셨다.

정답 p. 170

D 우리말 뜻을 보고, 문장을 완성하세요.

1 This book is ______________. 이 책은 **지루하다**.

2 The large ship was ______________ in the sea. 그 큰 배는 바다 속으로 **가라앉고** 있었다.

3 Someday we will ______________ to space. 언젠가 우리는 우주를 **여행할** 것이다.

4 ______________ your food enough. 음식을 충분히 **씹어라**.

5 It is fun to learn a ______________ language. **외국어**를 배우는 것은 재미있다.

6 They tied his hands together with ______________. 그들은 그의 두 손을 **밧줄**로 묶었다.

7 The box is made of ______________. 그 상자는 **금속**으로 만들어졌다.

8 Do you ______________ me to believe that? 너는 내가 그것을 믿기를 **기대하니**?

9 ______________ a ______________ of newspaper on the floor.

신문지 **한 장**을 바닥에 **놓아라**.

누적 테스트 Unit 19~20의 주요 단어입니다. 우리말 뜻에 맞는 영어 단어를 쓰세요.

1	인정하다	9	지루한
2	버릇, 습관	10	돌봄; 관심을 가지다
3	접다	11	밧줄
4	행복	12	주인, 주최자; 주최하다
5	대회, 시합	13	(조직의) 장; 주된
6	완전히 익히다; 주인	14	(종이) 한 장
7	대중; 대중의, 공공의	15	가라앉다
8	사실, 진실	16	기대하다, 예상하다

주제별 어휘

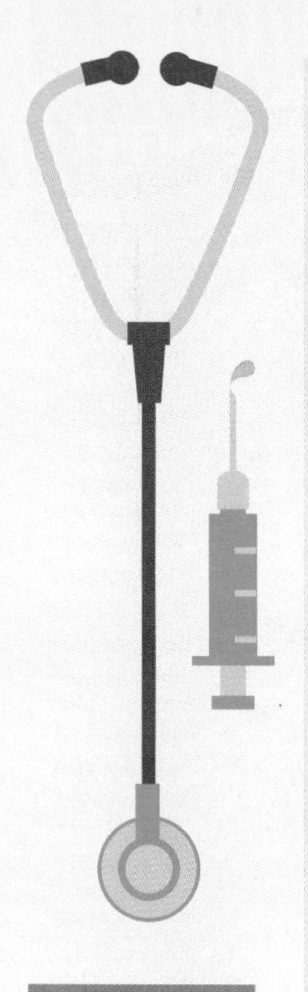

- **medical** 형 의학의, 의료의
- **treat** 동 치료하다
- **drug** 명 의약품, 약
- **dentist** 명 치과의사
- **patient** 명 환자
- **disease** 명 병, 질병
- **cancer** 명 암
- **fever** 명 열
- **toothache** 명 치통
- **stomachache** 명 위통, 복통
- **sore throat** 목 아픔
- **runny nose** 콧물

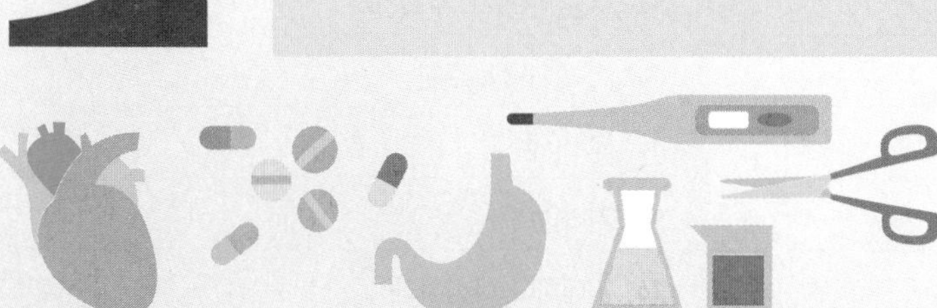

01	**medical**	형 의학의, 의료의	My brother is going to enter ______ school. 우리 형은 의과 대학에 입학할 것이다.
02	**treat** - treated - treated	동 치료하다	The doctor ______ed my broken arm. 그 의사는 내 부러진 팔을 치료했다.
03	**drug**	명 의약품, 약	Don't worry. The ______ is safe. 걱정하지 마세요. 그 약은 안전해요.
04	**dentist**	명 치과의사	The ______ pulled out his tooth. 치과의사가 그의 이를 뽑았다.
05	**patient**	명 환자	There are many ______s in the hospital. 병원에 많은 환자들이 있다.
06	**disease**	명 병, 질병	My grandmother has heart ______. 우리 할머니는 심장 질환이 있으시다.
07	**cancer**	명 암	______ is a common disease. 암은 흔한 병이다.
08	**fever**	명 열	She suffered from a high ______. 그녀는 고열로 괴로워했다.
09	**toothache**	명 치통	Jimmy had a terrible ______. Jimmy는 심한 치통을 앓았다.
10	**stomachache**	명 위통, 복통	She had a ______ after eating lunch. 그녀는 점심을 먹은 후에 복통이 있었다.
11	**sore throat**	목 아픔	I have a really ______ ______. 나는 정말 목이 아프다.
12	**runny nose**	콧물	I've had a ______ ______ all day. 나는 하루 종일 콧물이 흐른다.

Unit 21

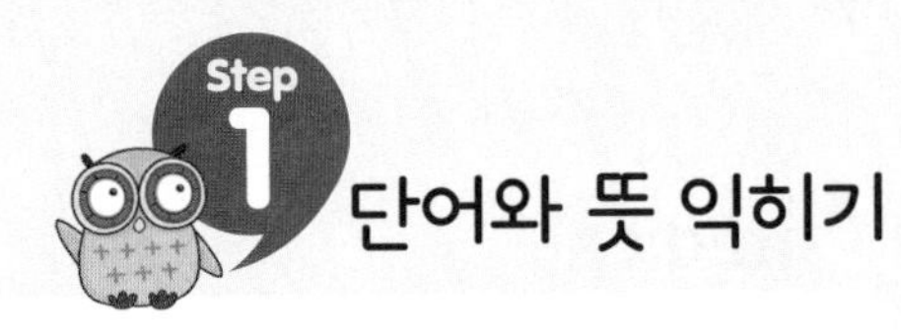

단어와 뜻 익히기

01 **wander** [wándər] ㊐ 돌아다니다, 헤매다

'궁금해하다'라는 의미를 나타내는 wonder와 헷갈리지 않도록 유의하세요.

02 **broad** [brɔːd] ㊔ 넓은

03 **character** [kǽriktər] ㊔ 성격, 등장인물

04 **dig** [dig] ㊐ (구멍 등을) 파다

05 **focus** [fóukəs] ㊐ 집중하다

06 **junior** [dʒúːnjər] ㊔ 손아래의

[j]는 우리말의 '이'와 비슷한 소리로 짧게 발음해요.

07 **also** [ɔ́ːlsou] ㊕ 또한, 역시

08 **link** [liŋk] ㊔ 관련, (컴퓨터) 링크

마법사 vs 마녀 | 1

단어를 쓰며 철자와 뜻을 외우세요.

09 **factory** [fǽktəri] 명 공장

10 **diet** [dáiət] 명 식사, 다이어트

'다이어트를 하다'라는 표현은 go on a diet나 be on a diet의 형태로 자주 쓰여요.

11 **pocket** [pákit] 명 주머니

12 **program** [próugræm] 명 프로그램

13 **business** [bíznis] 명 사업, 장사

14 **point** [pɔint] 명 요점, 의견

15 **smoke** [smouk] 명 연기

16 **ugly** [ʌ́gli] 형 못생긴

Step 2 예문 속 단어 익히기

01 **wander** - wandered - wandered
동 돌아다니다, 헤매다
I got lost and ______ed around a strange area. 나는 길을 잃고 낯선 곳을 이리저리 헤맸다.

02 **broad**
형 넓은
Cross the ______ street and turn right.
그 넓은 도로를 건너서 오른쪽으로 돌아라.

03 **character**
명 성격, 등장인물
He has a quiet and gentle ______.
그는 조용하고 온화한 성격이다.
Andy played a main ______ in the movie.
Andy는 그 영화에서 주요 등장인물을 연기했다.

04 **dig** - dug - dug
동 (구멍 등을) 파다
The ice is too thick! I can't ______ a hole. 얼음이 너무 두꺼워! 나는 구멍을 팔 수 없어.

05 **focus** - focused - focused - focussed - focussed
동 집중하다
Please ______ on your studies.
제발 학업에 집중해라.

06 **junior**
형 손아래의
Emily is ______ to me.
Emily는 나보다 손아래이다.

07 **also**
부 또한, 역시
We visited Boston. We ______ went to New York. 우리는 보스턴을 방문했다. 우리는 또한 뉴욕에도 갔다.

08 **link**
명 관련, (컴퓨터) 링크
What are the ______s between health and environment? 건강과 환경 사이에는 어떤 관련이 있니?
Click this ______ to visit our website.
우리 웹사이트를 방문하시려면 이 링크를 누르세요.

www

09 **factory** - factories
명 공장
Willy works at a chocolate ______.
Willy는 초콜릿 공장에서 일한다.

10 **diet**
명 식사, 다이어트
Do you have a healthy ______?
너는 건강한 식사를 하고 있니?
No cake for me, I'm on a ______.
나에게는 케이크를 주지 마. 나는 다이어트 중이야.

11 **pocket**
명 주머니
I put my cellphone in my ______.
나는 주머니 속에 내 휴대전화를 넣었다.

12 **program**
명 프로그램
I downloaded the ______ to the computer.
나는 그 프로그램을 컴퓨터에 내려받았다.

13 **business** - businesses
명 사업, 장사
My mother started a small ______.
우리 어머니는 작은 사업을 시작하셨다.

14 **point**
명 요점, 의견
What's your ______?
네 말의 요점이 무엇이니?

15 **smoke**
명 연기
There is no ______ without fire.
불이 없으면 연기도 없다. (아니 땐 굴뚝에 연기 날까.)

16 **ugly**
형 못생긴
You are not ______ or fat.
너는 못생기지도 뚱뚱하지도 않다.

학습한 단어 확인하기

A 우리말은 영어로, 영어는 우리말로 쓰세요.

1 공장 ________________

2 사업, 장사 ________________

3 성격, 등장인물 ________________

4 집중하다 ________________

5 연기 ________________

6 프로그램 ________________

7 식사, 다이어트 ________________

8 또한, 역시 ________________

9 point ________________

10 link ________________

11 pocket ________________

12 wander ________________

13 dig ________________

14 broad ________________

15 ugly ________________

16 junior ________________

B 괄호 안에서 알맞은 단어를 고르세요.

1 Click this (rank / link) to visit our website. 우리 웹사이트를 방문하시려면 이 링크를 누르세요.

2 I downloaded the (problem / program) to the computer.
나는 그 프로그램을 컴퓨터에 내려받았다.

3 I got lost and (wandered / wondered) around a strange area.
나는 길을 잃고 낯선 곳을 이리저리 헤맸다.

C 주어진 상자에서 알맞은 단어를 골라 문장을 완성하세요.

focus	dig	pocket	point

1 What's your ____________? 네 말의 요점이 무엇이니?

2 The ice is too thick! I can't ____________ a hole. 얼음이 너무 두꺼워! 나는 구멍을 팔 수 없어.

3 I put my cellphone in my ____________. 나는 주머니 속에 내 휴대전화를 넣었다.

4 Please ____________ on your studies. 제발 학업에 집중해라.

정답 p. 170

D 우리말 뜻을 보고, 문장을 완성하세요.

1 No cake for me, I'm on a ______________. 나에게는 케이크를 주지 마. 나는 **다이어트** 중이야.

2 Emily is ______________ to me. Emily는 나보다 **손아래**이다.

3 Willy works at a chocolate ______________. Willy는 초콜릿 **공장**에서 일한다.

4 There is no ______________ without fire. 불이 없으면 **연기**도 없다. (아니 땐 굴뚝에 연기 날까.)

5 You are not ______________ or fat. 너는 **못생기지**도 뚱뚱하지도 않다.

6 Cross the ______________ street and turn right. 그 **넓은** 도로를 건너서 오른쪽으로 돌아라.

7 He has a quiet and gentle ______________. 그는 조용하고 온화한 **성격**이다.

8 My mother started a small ______________. 우리 어머니는 작은 **사업**을 시작하셨다.

9 We visited Boston. We ______________ went to New York.
우리는 보스턴을 방문했다. 우리는 **또한** 뉴욕에도 갔다.

누적 테스트 Unit 20~21의 주요 단어입니다. 우리말 뜻에 맞는 영어 단어를 쓰세요.

1	허락하다	9	돌아다니다, 헤매다
2	금속	10	넓은
3	안내하다	11	(구멍 등을) 파다
4	역할	12	손아래의
5	놓다, 눕히다	13	관련, (컴퓨터) 링크
6	씹다	14	주머니
7	외국의	15	요점, 의견
8	여행하다	16	못생긴

Unit 22

01 **above** [əbʌ́v] 전 …보다 위에

02 **rank** [ræŋk] 명 지위, 계급

03 **choice** [tʃɔis] 명 선택

04 **neat** [niːt] 형 정돈된, 깔끔한

05 **folk** [fouk] 명 사람들 형 민속의

형용사 folk는 주로 명사 앞에서 쓰여요.
a folk music(민속 음악)

06 **symbol** [símbəl] 명 상징, 기호

07 **million** [míljən] 명 100만

08 **fist** [fist] 명 주먹

마법사 vs 마녀 ll

단어를 쓰며 철자와 뜻을 외우세요.

09 **spicy** [spáisi]
형 양념 맛이 강한, 매운

10 **pray** [prei]
동 기도하다, 기원하다

11 **decide** [disáid]
동 결정하다

12 **scientist** [sáiəntist]
명 과학자

science(과학) + -ist ('사람'을 나타내는 접미사)= scientist(과학자)

13 **pity** [píti]
명 동정, 연민

14 **inside** [ìnsáid]
명 안, 내부
전 …의 안에

반대말은 outside(바깥; … 밖에)예요.

15 **weather** [wéðər]
명 날씨

16 **wheel** [*h*wiːl]
명 바퀴

Step 2 예문 속 단어 익히기

01 **above**	전 …보다 위에	Our plane is flying ______ the clouds. 우리 비행기는 구름 위를 날고 있다.
02 **rank**	명 지위, 계급	He held a high ______ in the army. 그는 군대에서 높은 지위였다.
03 **choice**	명 선택	You made a good ______. 너는 좋은 선택을 했다.
04 **neat**	형 정돈된, 깔끔한	My sister's room is always ______. 내 여동생의 방은 항상 깔끔하다.
05 **folk**	명 사람들 형 민속의	Mr. Jackson worked with young ______s last year. Jackson 씨는 작년에 젊은 사람들과 일했다. I love traditional Korean ______ songs. 나는 한국의 전통 민요를 정말 좋아한다.
06 **symbol**	명 상징, 기호	The national flag is the ______ of a country. 국기는 한 나라의 상징이다.
07 **million**	명 100만	The novel sold more than a ______ copies. 그 소설은 100만 부 이상 팔렸다.
08 **fist**	명 주먹	The man shook his ______ in my face. 그 남자는 내 얼굴에 주먹을 휘둘렀다.

09 **spicy** 형 양념 맛이 강한, 매운

I don't like ______ food.
나는 매운 음식을 좋아하지 않는다.

10 **pray** - prayed - prayed 동 기도하다, 기원하다

We ______ ed for peace.
우리는 평화를 기원했다.

11 **decide** - decided - decided 동 결정하다

She couldn't ______ where to go.
그녀는 어디로 가야할지 결정할 수 없었다.

12 **scientist** 명 과학자

Michael Faraday is a famous ______.
Michael Faraday는 유명한 과학자이다.

13 **pity** - pities 명 동정, 연민

I felt ______ for the poor boy.
나는 그 불쌍한 소년에게 연민을 느꼈다.

14 **inside** 명 안, 내부 전 …의 안에

The ______ of the church is beautiful.
그 교회의 내부는 아름답다.

We went ______ the house.
우리는 집 안으로 들어갔다.

15 **weather** 명 날씨

How is the ______ today?
오늘 날씨는 어때?

16 **wheel** 명 바퀴

The front ______ s are not working.
앞바퀴들이 작동하지 않는다.

Step 3 학습한 단어 확인하기

A 우리말은 영어로, 영어는 우리말로 쓰세요.

1 결정하다 ______________

2 지위, 계급 ______________

3 과학자 ______________

4 안; …의 안에 ______________

5 날씨 ______________

6 선택 ______________

7 바퀴 ______________

8 정돈된, 깔끔한 ______________

9 pity ______________

10 symbol ______________

11 pray ______________

12 above ______________

13 million ______________

14 folk ______________

15 fist ______________

16 spicy ______________

B 괄호 안에서 알맞은 단어를 고르세요.

1 We (played / prayed) for peace. 우리는 평화를 기원했다.

2 The front (wheats / wheels) are not working. 앞바퀴들이 작동하지 않는다.

3 Mr. Jackson worked with young (folks / forks) last year.
Jackson 씨는 작년에 젊은 사람들과 일했다.

C 주어진 상자에서 알맞은 단어를 골라 문장을 완성하세요.

above	inside	choice	pity

1 Our plane is flying ______________ the clouds. 우리 비행기는 구름 위를 날고 있다.

2 I felt ______________ for the poor boy. 나는 그 불쌍한 소년에게 연민을 느꼈다.

3 We went ______________ the house. 우리는 집 안으로 들어갔다.

4 You made a good ______________. 너는 좋은 선택을 했다.

정답 p. 171

D 우리말 뜻을 보고, 문장을 완성하세요.

1 Michael Faraday is a famous ____________. Michael Faraday는 유명한 **과학자**이다.

2 My sister's room is always ____________. 내 여동생의 방은 항상 **깔끔하다**.

3 I don't like ____________ food. 나는 **매운** 음식을 좋아하지 않는다.

4 She couldn't ____________ where to go. 그녀는 어디로 가야할지 **결정할** 수 없었다.

5 How is the ____________ today? 오늘 **날씨**는 어때?

6 He held a high ____________ in the army. 그는 군대에서 높은 **지위**였다.

7 The man shook his ____________ in my face. 그 남자는 내 얼굴에 **주먹**을 휘둘렀다.

8 The novel sold more than a ____________ copies. 그 소설은 **100만** 부 이상 팔렸다.

9 The national flag is the ____________ of a country. 국기는 한 나라의 **상징**이다.

누적 테스트 Unit 21~22의 주요 단어입니다. 우리말 뜻에 맞는 영어 단어를 쓰세요.

1	성격, 등장인물	9	…보다 위에
2	집중하다	10	사람들; 민속의
3	또한, 역시	11	100만
4	공장	12	주먹
5	식사, 다이어트	13	양념 맛이 강한, 매운
6	프로그램	14	기도하다, 기원하다
7	사업, 장사	15	동정, 연민
8	연기	16	안, 내부; …의 안에

Unit 23

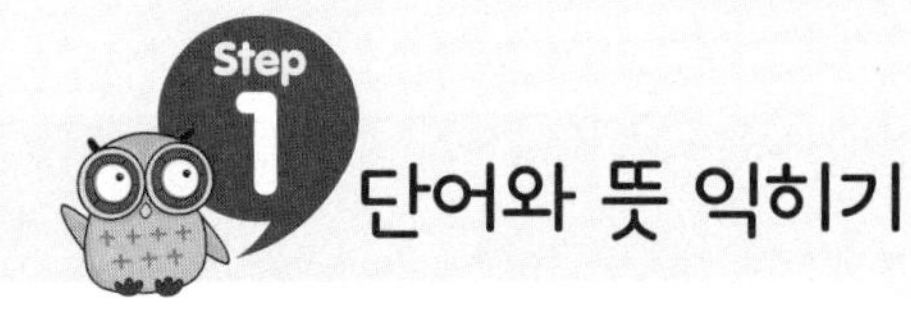

01 **against** [əgénst] ㉠ …에 반대하여

02 **cancel** [kǽnsəl] ㉧ 취소하다

03 **circle** [sə́ːrkl] ㉢ 동그라미, 원형

04 **course** [kɔːrs] ㉢ 강의, 과정

05 **detail** [ditéil] [díːteil] ㉢ 세부 사항

06 **far** [fɑːr] ㉥ 멀리, 훨씬

07 **useful** [júːsfəl] ㉨ 유용한

> use(사용, 유용)+-ful(형용사를 만드는 접미사)
> = useful(유용한)

08 **golden** [góuldən] ㉨ 금빛의, 금으로 된

이렇게 갑자기 화해하는 거야?

단어를 쓰며 철자와 뜻을 외우세요.

09 **headache** [hédèik]
명 두통
head(머리) + ache(통증) = headache(두통)

10 **situation** [sìtʃuéiʃən]
명 상황, 처지

11 **pure** [pjuər]
형 순수한

12 **straight** [streit]
부 똑바로, 곧장
형 곧은
straight에서 gh는 소리 나지 않아요.

13 **form** [fɔːrm]
명 모양, 형태

14 **package** [pǽkidʒ]
명 소포, 꾸러미

15 **review** [rivjúː]
동 재검토하다, 복습하다
명 논평, 복습

16 **stupid** [stjúːpid]
형 어리석은

Step 2 예문 속 단어 익히기

01 **against** 전 …에 반대하여

I'm ______ doing it.
나는 그 일을 하는 것에 반대한다.

02 **cancel** 동 취소하다
- canceled - canceled
- cancelled - cancelled

I want to ______ the movie tickets.
저는 영화표를 취소하고 싶어요.

03 **circle** 명 동그라미, 원형

The boy is drawing a ______.
그 소년은 동그라미를 그리고 있다.

04 **course** 명 강의, 과정

I'm taking an art ______.
나는 미술 강의를 듣고 있다.

05 **detail** 명 세부 사항

Tell me every ______ of the plan.
나에게 그 계획의 세부 사항을 모두 말해줘.

06 **far** 부 멀리, 훨씬

My house is not ______ from here.
우리 집은 여기에서 멀지 않다.

Your computer is ______ better than mine.
네 컴퓨터가 내 것보다 훨씬 더 좋다.

07 **useful** 형 유용한

A smartphone is ______ in many ways. 스마트폰은 여러 면에서 유용하다.

08 **golden** 형 금빛의, 금으로 된

I like her beautiful ______ hair.
나는 그녀의 아름다운 금빛 머리를 좋아한다.

09 **headache** 명 두통

I had a bad ______ all day.
나는 하루 종일 두통이 심했다.

10 **situation** 명 상황, 처지

We are in a difficult ______ now.
우리는 지금 힘든 상황에 있다.

11 **pure** 형 순수한

The girl has a ______ soul.
그 소녀는 순수한 영혼을 가지고 있다.

12 **straight** 부 똑바로, 곧장 형 곧은

Go ______ down the street.
길 아래쪽으로 똑바로 가세요.

The line isn't ______.
그 선은 곧지 않다.

13 **form** 명 모양, 형태

Ice is a ______ of water.
얼음은 물의 한 형태이다.

14 **package** 명 소포, 꾸러미

The ______ has just arrived.
소포가 지금 막 도착했다.

15 **review** - reviewed - reviewed 동 재검토하다, 복습하다 명 논평, 복습

Let's ______ some words and expressions.
몇몇 단어와 표현들을 복습하자.

I read a book ______ in the newspaper.
나는 신문에서 서평을 하나 읽었다.

16 **stupid** 형 어리석은

Don't make a ______ mistake.
어리석은 실수를 하지 마라.

Step 3 학습한 단어 확인하기

A 우리말은 영어로, 영어는 우리말로 쓰세요.

1 상황, 처지 ______________

2 …에 반대하여 ______________

3 세부 사항 ______________

4 재검토하다; 논평 ______________

5 두통 ______________

6 동그라미, 원형 ______________

7 똑바로; 곧은 ______________

8 금빛의 ______________

9 far ______________

10 package ______________

11 pure ______________

12 useful ______________

13 cancel ______________

14 form ______________

15 course ______________

16 stupid ______________

B 괄호 안에서 알맞은 단어를 고르세요.

1 I'm taking an art (course / cause). 나는 미술 강의를 듣고 있다.

2 The girl has a (poor / pure) soul. 그 소녀는 순수한 영혼을 가지고 있다.

3 Let's (preview / review) some words and expressions. 몇몇 단어와 표현들을 복습하자.

C 주어진 상자에서 알맞은 단어를 골라 문장을 완성하세요.

headache	package	far	straight

1 My house is not ______________ from here. 우리 집은 여기에서 멀지 않다.

2 Go ______________ down the street. 길 아래쪽으로 똑바로 가세요.

3 The ______________ has just arrived. 소포가 지금 막 도착했다.

4 I had a bad ______________ all day. 나는 하루 종일 두통이 심했다.

정답 p. 171

D 우리말 뜻을 보고, 문장을 완성하세요.

1 I like her beautiful __________ hair. 나는 그녀의 아름다운 **금빛** 머리를 좋아한다.

2 The boy is drawing a __________. 그 소년은 **동그라미**를 그리고 있다.

3 Ice is a __________ of water. 얼음은 물의 한 **형태**이다.

4 I'm __________ doing it. 나는 그 일을 하는 것에 **반대한다.**

5 Tell me every __________ of the plan. 나에게 그 계획의 **세부 사항**을 모두 말해줘.

6 I want to __________ the movie tickets. 저는 영화표를 **취소하고** 싶어요.

7 A smartphone is __________ in many ways. 스마트폰은 여러 면에서 **유용하다.**

8 Don't make a __________ mistake. 어리석은 실수를 하지 마라.

9 We are in a difficult __________ now. 우리는 지금 힘든 **상황**에 있다.

누적 테스트 Unit 22~23의 주요 단어입니다. 우리말 뜻에 맞는 영어 단어를 쓰세요.

1	지위, 계급	9	취소하다
2	선택	10	강의, 과정
3	정돈된, 깔끔한	11	멀리, 훨씬
4	상징, 기호	12	금빛의, 금으로 된
5	결정하다	13	순수한
6	과학자	14	모양, 형태
7	날씨	15	소포, 꾸러미
8	바퀴	16	어리석은

Unit 24

01 **flash** [flæʃ]
동 번쩍이다

02 **behave** [bihéiv]
동 행동하다, 처신하다

03 **citizen** [sítəzən]
명 시민, 국민

04 **near** [niər]
형 가까운
전 … 가까이에

05 **attend** [əténd]
동 참석하다

06 **handle** [hǽndl]
동 다루다, 처리하다

07 **matter** [mǽtər]
명 문제, 일

08 **crowded** [kráudid]
형 붐비는, 복잡한

be crowded with(…로 붐비다)의 형태로 자주 쓰여요.

그래, 친구가 가장 소중하지.

단어를 쓰며 철자와 뜻을 외우세요.

09 **poem** [póuəm]
명 시

13 **teenager** [tí:nèidʒər]
명 십대
짧게 teen이라고 쓰기도 해요.

10 **rumor** [rú:mər]
명 소문
rumour라고 쓰기도 해요.

14 **usual** [jú:ʒuəl]
형 흔한, 평상시의

11 **quick** [kwik]
형 빠른

15 **wisdom** [wízdəm]
명 지혜, 현명함

12 **solution** [səlú:ʃən]
명 해결책

16 **wonder** [wʌ́ndər]
동 궁금하다
명 경이, 놀라움

예문 속 단어 익히기

01 **flash** - flashed - flashed
동 번쩍이다
Lightning ________ed in the sky.
하늘에서 번개가 번쩍였다.

02 **behave** - behaved - behaved
동 행동하다, 처신하다
The boy ________s like an adult.
그 소년은 어른처럼 행동한다.

03 **citizen**
명 시민, 국민
Many ________s joined the parade.
많은 시민들이 그 퍼레이드에 참가했다.

04 **near**
형 가까운
전 … 가까이에
Where is the ________est bus stop?
가장 가까운 버스 정류장이 어디 있나요?
Put the box ________ the door.
그 상자를 문 가까이에 두어라.

05 **attend** - attended - attended
동 참석하다
I can't ________ the meeting.
나는 그 회의에 참석할 수 없다.

06 **handle** - handled - handled
동 다루다, 처리하다
Are you ready to ________ this situation?
너는 이 상황을 처리할 준비가 되었니?

07 **matter**
명 문제, 일
What's the ________ with you?
네 문제가 뭐니?

08 **crowded**
형 붐비는, 복잡한
The street was ________ with people.
그 거리는 사람들로 붐볐다.

09 **poem** 명 시

Betty enjoys writing ______s.

Betty는 시 쓰는 것을 즐긴다.

10 **rumor** 명 소문

The ______ spread over the Internet.

그 소문은 인터넷을 통해 퍼졌다.

11 **quick** 형 빠른

This noodle dish is ______ and easy to make. 이 국수 요리는 만들기가 빠르고 쉽다.

12 **solution** 명 해결책

Don't worry! Every problem has a ______.

걱정하지 마! 모든 문제에는 해결책이 있어.

13 **teenager** 명 십대

This app is popular among ______s.

이 앱은 십대들에게 인기 있다.

14 **usual** 형 흔한, 평상시의

It is ______ for him to be late.

그가 늦는 것은 흔한 일이다.

As ______, she looks beautiful.

평상시처럼 그녀는 아름다워 보인다.

15 **wisdom** 명 지혜, 현명함

______ comes with experience.

지혜는 경험에서 온다.

16 **wonder** - wondered - wondered 동 궁금하다 명 경이, 놀라움

I ______ where she is.

나는 그녀가 어디에 있는지 궁금하다.

The boy's eyes were filled with ______.

그 소년의 눈은 놀라움으로 가득 찼다.

Step 3 학습한 단어 확인하기

A 우리말은 영어로, 영어는 우리말로 쓰세요.

1 빠른 ____________

2 지혜, 현명함 ____________

3 시민, 국민 ____________

4 궁금하다; 경이 ____________

5 다루다 ____________

6 행동하다 ____________

7 흔한, 평상시의 ____________

8 문제, 일 ____________

9 flash ____________

10 poem ____________

11 attend ____________

12 rumor ____________

13 near ____________

14 teenager ____________

15 solution ____________

16 crowded ____________

B 괄호 안에서 알맞은 단어를 고르세요.

1 Where is the (nearest / neatest) bus stop? 가장 가까운 버스 정류장이 어디 있나요?

2 I (wonder / wander) where she is. 나는 그녀가 어디에 있는지 궁금하다.

3 This noodle dish is (quiet / quick) and easy to make. 이 국수 요리는 만들기가 빠르고 쉽다.

C 주어진 상자에서 알맞은 단어를 골라 문장을 완성하세요.

rumor	flashed	attend	crowded

1 Lightning ____________ in the sky. 하늘에서 번개가 번쩍였다.

2 I can't ____________ the meeting. 나는 그 회의에 참석할 수 없다.

3 The street was ____________ with people. 그 거리는 사람들로 붐볐다.

4 The ____________ spread over the Internet. 그 소문은 인터넷을 통해 퍼졌다.

정답 p. 171

D 우리말 뜻을 보고, 문장을 완성하세요.

1 Betty enjoys writing ____________. Betty는 시 쓰는 것을 즐긴다.

2 This app is popular among ____________. 이 앱은 **십대들**에게 인기 있다.

3 What's the ____________ with you? 네 **문제**가 뭐니?

4 It is ____________ for him to be late. 그가 늦는 것은 **흔한** 일이다.

5 ____________ comes with experience. **지혜**는 경험에서 온다.

6 The boy ____________ like an adult. 그 소년은 어른처럼 **행동한다**.

7 Many ____________ joined the parade. 많은 **시민들**이 그 퍼레이드에 참가했다.

8 Are you ready to ____________ this situation? 너는 이 상황을 **처리할** 준비가 되었니?

9 Don't worry! Every problem has a ____________. 걱정하지 마! 모든 문제에는 **해결책**이 있어.

누적 테스트 Unit 23~24의 주요 단어입니다. 우리말 뜻에 맞는 영어 단어를 쓰세요.

1	…에 반대하여	9	번쩍이다
2	동그라미, 원형	10	가까운; … 가까이에
3	세부 사항	11	참석하다
4	유용한	12	붐비는, 복잡한
5	두통	13	시
6	상황, 처지	14	십대
7	똑바로; 곧은	15	흔한, 평상시의
8	재검토하다; 논평	16	궁금하다; 경이

Wherever you go, go with all your heart.
_Confucius

부록

정답 | 어휘 목록

Answers 정답

Unit 01 Step 3 학습한 단어 확인하기 pp. 12~13

A
1 chance
2 raise
3 hurry
4 service
5 special
6 gain
7 umbrella
8 melt
9 가장 중요한, 주된
10 배우
11 해결하다, 풀다
12 흐르다
13 만지다
14 유명한
15 소리
16 이기다

B
1 gain
2 sound
3 actor

C
1 flow
2 melted
3 touch
4 won

D
1 main
2 raised
3 chance
4 special
5 solved
6 hurry
7 service
8 umbrella
9 famous actor

누적 테스트

1 actor
2 melt
3 famous
4 flow
5 gain
6 chance
7 sound
8 hurry
9 raise
10 service
11 solve
12 main
13 special
14 touch
15 umbrella
16 win

Unit 02 Step 3 학습한 단어 확인하기 pp. 18~19

A
1 library
2 beast
3 knock
4 mountain
5 design
6 hide
7 space
8 vegetable
9 박수를 치다
10 채우다, 메우다
11 잃어버리다, 지다
12 끓이다, 삶다
13 붓다, 따르다
14 걱정하다
15 대화
16 휴식을 취하다

B
1 knock
2 designed
3 clapped

C
1 mountain
2 boiled
3 library
4 hid

D
1 Fill
2 lose
3 worry
4 space
5 relax
6 pour
7 vegetables
8 beast
9 dialog

누적 테스트

1 melt
2 famous
3 chance
4 hurry
5 raise
6 solve
7 special
8 touch
9 clap
10 space
11 fill
12 boil
13 lose
14 pour
15 dialog
16 worry

Unit 03 Step 3 학습한 단어 확인하기 pp. 24~25

A
1 area
2 office
3 subway
4 sword
5 beat
6 weight
7 pay
8 follow
9 움켜쥐다
10 보고하다; 보고서
11 모으다
12 던지다
13 한 쌍
14 역, 정거장
15 공정한, 공평한
16 목소리

B
1 pay
2 subway
3 beats

C
1 collect
2 throw
3 grabbed
4 Follow

D
1 sword
2 office
3 fair
4 pair
5 voice
6 area
7 weight
8 Report
9 subway station

누적 테스트

1 beast
2 library
3 design
4 hide
5 knock
6 mountain
7 relax
8 vegetable
9 collect
10 fair
11 follow
12 pair
13 report
14 weight
15 throw
16 voice

Unit 04 Step 3 학습한 단어 확인하기 pp. 30~31

A

1	country	9	기계
2	shout	10	피하다
3	information	11	바꾸다, 변하다; 변화
4	bend	12	느끼다
5	free	13	이웃
6	different	14	무대
7	mirror	15	혀
8	uniform	16	무거운

B

1 feel / 2 stage / 3 heavy

C

1 uniforms / 2 machine / 3 bent / 4 avoid

D

1 tongue / 2 mirror / 3 free / 4 different / 5 Change / 6 shouted / 7 neighbor / 8 country / 9 information

누적 테스트

1	area	9	avoid
2	beat	10	change
3	grab	11	feel
4	office	12	tongue
5	subway	13	machine
6	pay	14	neighbor
7	sword	15	shout
8	station	16	stage

Unit 05 Step 3 학습한 단어 확인하기 pp. 38~39

A

1	cousin	9	전투
2	fresh	10	상상하다
3	bring	11	가격
4	hunt	12	어려운, 힘든
5	merry	13	기록; 기록하다
6	bet	14	(잠에서) 깨다, 깨우다
7	crowd	15	피, 혈액
8	peace	16	손님

B

1 cousins / 2 bet / 3 wake

C

1 blood / 2 guests / 3 crowd / 4 peace

D

1 hunt / 2 merry / 3 price / 4 fresh / 5 bring / 6 records / 7 difficult / 8 battle / 9 imagine

누적 테스트

1	country	9	battle
2	bend	10	blood
3	different	11	difficult
4	heavy	12	wake
5	information	13	imagine
6	mirror	14	peace
7	free	15	price
8	uniform	16	guest

Unit 06 Step 3 학습한 단어 확인하기 pp. 44~45

A

1	perfect	9	양초
2	rule	10	보석
3	bottom	11	진짜의, 실제의
4	cartoon	12	기술
5	sight	13	여행
6	hole	14	남성의
7	thief	15	훔치다
8	nickname	16	봉투

B

1 skill / 2 candle / 3 cartoons

C

1 bottom / 2 envelope / 3 hole / 4 tour

D

1 real / 2 jewels / 3 sight / 4 thief / 5 perfect / 6 stole / 7 rules / 8 nickname / 9 male

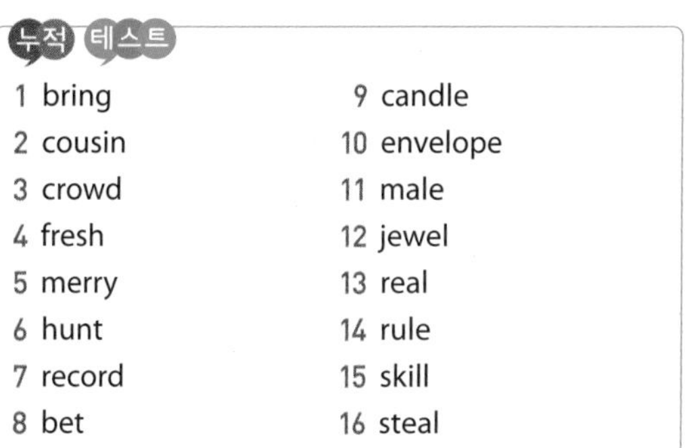

누적 테스트

1	bring	9	candle
2	cousin	10	envelope
3	crowd	11	male
4	fresh	12	jewel
5	merry	13	real
6	hunt	14	rule
7	record	15	skill
8	bet	16	steal

Unit 07 Step 3 학습한 단어 확인하기 pp. 50~51

A
1 law
2 extra
3 prize
4 rent
5 list
6 sense
7 simple
8 try
9 군대
10 앞
11 한숨을 쉬다
12 정상이 아닌, 열광하는
13 방학
14 넓은
15 남자 조카
16 여자 조카

B
1 wide
2 sense
3 niece

C
1 crazy
2 simple
3 extra
4 army

D
1 nephew
2 try
3 law
4 list
5 front
6 sighed
7 rent
8 vacation
9 niece, prize

누적 테스트

1 bottom
2 cartoon
3 hole
4 nickname
5 perfect
6 sight
7 tour
8 thief
9 front
10 army
11 nephew
12 niece
13 list
14 rent
15 sigh
16 vacation

Unit 08 Step 3 학습한 단어 확인하기 pp. 56~57

A
1 culture
2 mistake
3 market
4 museum
5 concert
6 roll
7 ocean
8 blank
9 곤충
10 젓가락
11 가장 좋아하는
12 진지한, 심각한
13 12개 한 묶음
14 지갑
15 튀기다
16 냄새가 나다; 냄새

B
1 Fry
2 chopsticks
3 concert

C
1 wallet
2 museum
3 culture
4 market

D
1 rolled
2 serious
3 favorite
4 oceans
5 smell
6 blank
7 mistake
8 insect
9 dozen

누적 테스트

1 crazy
2 extra
3 try
4 law
5 simple
6 sense
7 prize
8 wide
9 chopstick
10 dozen
11 fry
12 insect
13 favorite
14 mistake
15 serious
16 wallet

Unit 09 Step 3 학습한 단어 확인하기 pp. 64~65

A
1 grammar
2 important
3 pride
4 hope
5 normal
6 return
7 shower
8 expensive
9 연
10 거품, 비눗방울
11 역사
12 궁전
13 흐린
14 도착하다
15 현금, 돈
16 기본적인

B
1 hope
2 palace
3 returned

C
1 cloudy
2 shower
3 expensive
4 kite

D
1 pride
2 bubbles
3 important
4 normal
5 basic
6 cash
7 reach
8 grammar
9 history

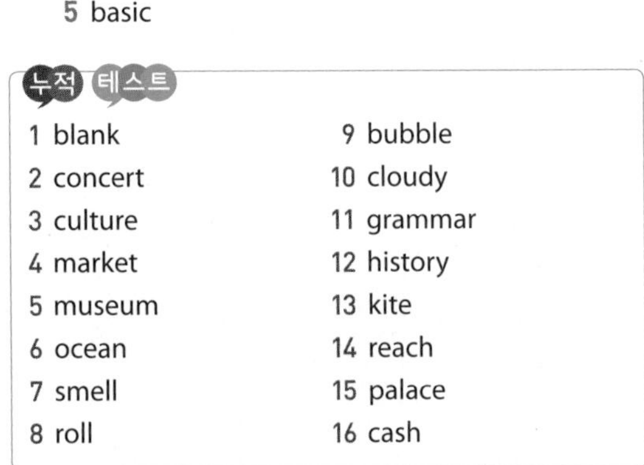

누적 테스트

1 blank
2 concert
3 culture
4 market
5 museum
6 ocean
7 smell
8 roll
9 bubble
10 cloudy
11 grammar
12 history
13 kite
14 reach
15 palace
16 cash

Unit 10 Step 3 학습한 단어 확인하기 pp. 70~71

A
1 risk
2 map
3 global
4 rub
5 careful
6 medium
7 island
8 destroy
9 설명하다
10 언어
11 줄, 끈
12 현대의
13 흔들다, 흔들리다
14 위험한
15 시끄러운
16 (총기) 발사, 주사

B
1 rubbed
2 shot
3 Medium

C
1 map
2 Global
3 destroyed
4 careful

D
1 explain
2 modern
3 Shake
4 string
5 island
6 dangerous
7 noisy
8 risks
9 global language

누적 테스트
1 important
2 expensive
3 shower
4 hope
5 normal
6 pride
7 basic
8 return
9 string
10 dangerous
11 explain
12 island
13 language
14 modern
15 shake
16 noisy

Unit 11 Step 3 학습한 단어 확인하기 pp. 76~77

A
1 beauty
2 agree
3 strange
4 examine
5 loud
6 proud
7 wish
8 tiny
9 꽤, 상당히
10 젖은
11 계산서, 지폐
12 (새의) 깃털
13 발명, 발명품
14 고개를 숙이다
15 건강한
16 고치다

B
1 tiny
2 beauty
3 healthy

C
1 bowed
2 fix
3 examined
4 wish

D
1 agree
2 strange
3 wet
4 loud
5 quite
6 bill
7 invention
8 feathers
9 proud

누적 테스트
1 medium
2 careful
3 destroy
4 global
5 map
6 risk
7 rub
8 shot
9 feather
10 bill
11 bow
12 healthy
13 invention
14 fix
15 quite
16 wet

Unit 12 Step 3 학습한 단어 확인하기 pp. 82~83

A
1 save
2 village
3 control
4 think
5 joy
6 airport
7 funny
8 needle
9 무례한, 버릇없는
10 …맛이 나다; 맛
11 성공
12 결과
13 (일이) 일어나다
14 태양의
15 (건물 등을) 짓다
16 인기 있는

B
1 needle
2 joy
3 saved

C
1 tastes
2 results
3 rude
4 solar

D
1 funny
2 village
3 control
4 built
5 happened
6 success
7 popular
8 airport
9 think, rude

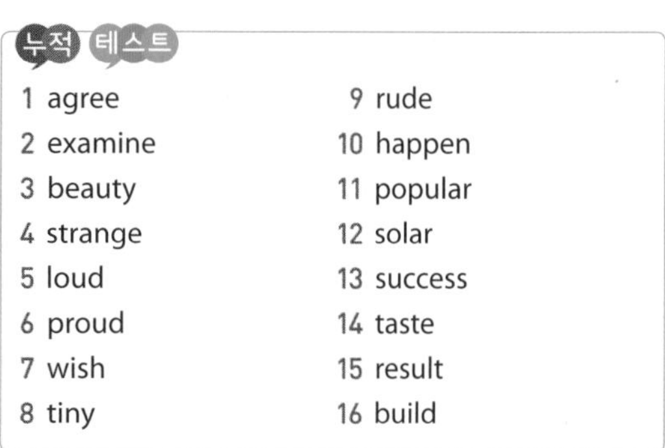

누적 테스트
1 agree
2 examine
3 beauty
4 strange
5 loud
6 proud
7 wish
8 tiny
9 rude
10 happen
11 popular
12 solar
13 success
14 taste
15 result
16 build

Unit 13 Step 3 학습한 단어 확인하기 pp. 90~91

A
1 energy
2 pilot
3 shy
4 condition
5 silver
6 engine
7 nervous
8 mean
9 늦은; 늦게
10 단단한, 꼭 끼는
11 인쇄하다
12 망치
13 문제, 곤란
14 (돈을) 쓰다
15 원하다
16 찾다; 찾기, 수색

B
1 print
2 want
3 tight

C
1 engine
2 hammer
3 pilot
4 energy

D
1 late
2 search
3 shy
4 nervous
5 mean
6 trouble
7 silver
8 spends
9 condition

누적 테스트
1 joy
2 needle
3 control
4 save
5 airport
6 think
7 village
8 funny
9 tight
10 late
11 print
12 spend
13 search
14 hammer
15 trouble
16 want

Unit 14 Step 3 학습한 단어 확인하기 pp. 96~97

A
1 sleepy
2 example
3 capital
4 hang
5 topic
6 count
7 system
8 march
9 뿌리
10 모이다, 모으다
11 가위
12 탑승하다
13 행성
14 여행
15 음식을 주다, 부양하다
16 조각

B
1 example
2 marched
3 planets

C
1 count
2 feed
3 sleepy
4 roots

D
1 boarded
2 gathered
3 trip
4 topic
5 Hang
6 capital
7 slice
8 scissors
9 system

누적 테스트
1 condition
2 engine
3 shy
4 mean
5 nervous
6 pilot
7 silver
8 energy
9 board
10 example
11 root
12 gather
13 scissors
14 planet
15 trip
16 slice

Unit 15 Step 3 학습한 단어 확인하기 pp. 102~103

A
1 whole
2 subject
3 greet
4 tough
5 nature
6 skip
7 remember
8 forget
9 소유하다
10 표시하다
11 나뭇가지
12 성
13 흔들다
14 세금
15 소리치다
16 이유

B
1 castle
2 waved
3 branch

C
1 greeted
2 owns
3 yelled
4 skipped

D
1 nature
2 taxes
3 tough
4 remember
5 subjects
6 Mark
7 forgot
8 reason
9 forget, whole

누적 테스트
1 count
2 feed
3 hang
4 march
5 sleepy
6 system
7 topic
8 capital
9 castle
10 reason
11 own
12 mark
13 branch
14 tax
15 wave
16 yell

Unit 16 Step 3 학습한 단어 확인하기 pp. 108~109

A
1 understand
2 downstairs
3 advice
4 royal
5 stomach
6 wonderful
7 post
8 center
9 열, 줄
10 거인; 거대한
11 땀
12 해안
13 묻다
14 틀린, 잘못된
15 담요
16 흔들다, 흔들리다

B
1 blanket
2 advice
3 royal

C
1 center
2 bury
3 stomach
4 post

D
1 row
2 wrong
3 understand
4 downstairs
5 coast
6 swinging
7 sweat
8 giant
9 wonderful

누적 테스트

1 subject
2 greet
3 skip
4 remember
5 forget
6 nature
7 tough
8 whole
9 giant
10 bury
11 coast
12 blanket
13 row
14 wrong
15 sweat
16 swing

Unit 17 Step 3 학습한 단어 확인하기 pp. 116~117

A
1 speech
2 site
3 blind
4 lead
5 flat
6 rush
7 exit
8 practice
9 건너다
10 동굴
11 빛나다
12 승리
13 낳다, 출산하다
14 얇은, 마른
15 요정
16 받아들이다

B
1 born
2 exit
3 lead

C
1 Practice
2 flat
3 rushed
4 thin

D
1 cave
2 victory
3 accept
4 cross
5 shine
6 site
7 blind
8 speech
9 fairy

누적 테스트

1 advice
2 center
3 downstairs
4 post
5 stomach
6 royal
7 understand
8 wonderful
9 accept
10 bear
11 cross
12 cave
13 fairy
14 shine
15 thin
16 victory

Unit 18 Step 3 학습한 단어 확인하기 pp. 122~123

A
1 thick
2 ache
3 regular
4 float
5 harm
6 glory
7 colorful
8 introduce
9 시인
10 솔, 붓; 솔질을 하다
11 기쁨, 즐거움
12 점원
13 마음, 정신; 신경 쓰다
14 100년, 세기
15 왕국
16 미끄러지다

B
1 clerk
2 kingdom
3 poet

C
1 delight
2 harm
3 brush
4 float

D
1 glory
2 mind
3 ache
4 slid
5 regular
6 thick
7 introduce
8 century
9 colorful

누적 테스트

1 blind
2 exit
3 flat
4 lead
5 practice
6 rush
7 site
8 speech
9 delight
10 brush
11 colorful
12 ache
13 kingdom
14 mind
15 slide
16 poet

Unit 19 Step 3 학습한 단어 확인하기 pp. 128~129

A
1 truth
2 public
3 admit
4 contest
5 habit
6 ready
7 fold
8 happiness
9 점, 장소
10 조화, 화합
11 기침하다
12 철자를 말하다
13 (여행용) 짐, 수하물
14 완전히 익히다; 주인
15 제목
16 작가

B
1 fold
2 spell
3 spot

C
1 contest
2 habit
3 title
4 baggage

D
1 ready
2 admit
3 happiness
4 author
5 master
6 truth
7 cough
8 harmony
9 public

누적 테스트
1 century
2 clerk
3 float
4 glory
5 harm
6 introduce
7 thick
8 regular
9 baggage
10 author
11 spot
12 harmony
13 ready
14 spell
15 cough
16 title

Unit 20 Step 3 학습한 단어 확인하기 pp. 134~135

A
1 travel
2 allow
3 chew
4 guide
5 lay
6 role
7 foreign
8 metal
9 (조직의) 장; 주된
10 밧줄
11 가라앉다
12 지루한
13 (종이) 한 장
14 돌봄; 관심을 가지다
15 주인, 주최자; 주최하다
16 기대하다, 예상하다

B
1 chief
2 hosted
3 role

C
1 care
2 laid
3 guided
4 allowed

D
1 boring
2 sinking
3 travel
4 Chew
5 foreign
6 rope
7 metal
8 expect
9 Lay, sheet

누적 테스트
1 admit
2 habit
3 fold
4 happiness
5 contest
6 master
7 public
8 truth
9 boring
10 care
11 rope
12 host
13 chief
14 sheet
15 sink
16 expect

Unit 21 Step 3 학습한 단어 확인하기 pp. 142~143

A
1 factory
2 business
3 character
4 focus
5 smoke
6 program
7 diet
8 also
9 요점, 의견
10 관련, (컴퓨터) 링크
11 주머니
12 돌아다니다, 헤매다
13 (구멍 등을) 파다
14 넓은
15 못생긴
16 손아래의

B
1 link
2 program
3 wandered

C
1 point
2 dig
3 pocket
4 focus

D
1 diet
2 junior
3 factory
4 smoke
5 ugly
6 broad
7 character
8 business
9 also

누적 테스트
1 allow
2 metal
3 guide
4 role
5 lay
6 chew
7 foreign
8 travel
9 wander
10 broad
11 dig
12 junior
13 link
14 pocket
15 point
16 ugly

Unit 22 Step 3 학습한 단어 확인하기 pp. 148~149

A
1 decide
2 rank
3 scientist
4 inside
5 weather
6 choice
7 wheel
8 neat
9 동정, 연민
10 상징, 기호
11 기도하다, 기원하다
12 …보다 위에
13 100만
14 사람들; 민속의
15 주먹
16 양념 맛이 강한, 매운

B
1 prayed
2 wheels
3 folks

C
1 above
2 pity
3 inside
4 choice

D
1 scientist
2 neat
3 spicy
4 decide
5 weather
6 rank
7 fist
8 million
9 symbol

누적 테스트

1 character
2 focus
3 also
4 factory
5 diet
6 program
7 business
8 smoke
9 above
10 folk
11 million
12 fist
13 spicy
14 pray
15 pity
16 inside

Unit 23 Step 3 학습한 단어 확인하기 pp. 154~155

A
1 situation
2 against
3 detail
4 review
5 headache
6 circle
7 straight
8 golden
9 멀리, 훨씬
10 소포, 꾸러미
11 순수한
12 유용한
13 취소하다
14 모양, 형태
15 강의, 과정
16 어리석은

B
1 course
2 pure
3 review

C
1 far
2 straight
3 package
4 headache

D
1 golden
2 circle
3 form
4 against
5 detail
6 cancel
7 useful
8 stupid
9 situation

누적 테스트

1 rank
2 choice
3 neat
4 symbol
5 decide
6 scientist
7 weather
8 wheel
9 cancel
10 course
11 far
12 golden
13 pure
14 form
15 package
16 stupid

Unit 24 Step 3 학습한 단어 확인하기 pp. 160~161

A
1 quick
2 wisdom
3 citizen
4 wonder
5 handle
6 behave
7 usual
8 matter
9 번쩍이다
10 시
11 참석하다
12 소문
13 가까운; … 가까이에
14 십대
15 해결책
16 붐비는, 복잡한

B
1 nearest
2 wonder
3 quick

C
1 flashed
2 attend
3 crowded
4 rumor

D
1 poems
2 teenagers
3 matter
4 usual
5 Wisdom
6 behaves
7 citizens
8 handle
9 solution

누적 테스트

1 against
2 circle
3 detail
4 useful
5 headache
6 situation
7 straight
8 review
9 flash
10 near
11 attend
12 crowded
13 poem
14 teenager
15 usual
16 wonder

Index 어휘 목록

E

F

G

H

I